Zwei Geschichten von Liebe und Tod vereint dieser Band, beide an der Wende vom 19. zum 20. Jahrhundert, in der Zeit des Jugendstils, entstanden. Im Mittelpunkt der einen, berühmt gewordenen, steht der in seiner Geschlechtlichkeit erwachende junge Cornet Christoph Rilke, im Mittelpunkt der anderen, weniger bekannten Geschichte: die nie zur Frau gewordene Gemahlin eines Fürsten und ein junges, erwachendes Mädchen. »Der *Cornet* war das unvermutete Geschenk einer einzigen Nacht, einer Herbstnacht, in einem Zuge hingeschrieben bei zwei im Nachtwind wehenden Kerzen« (Rilke 1924), ausgelöst durch die Erbschaft alter Familienpapiere. Das lyrische Drama *Die weiße Fürstin*, verwandt den symbolistischen Dramen Maurice Maeterlincks und Hugo von Hofmannsthals, war einer »seltsamen Angst« entsprungen, in die Rilke das Erscheinen eines geheimnisvollen Bettelmönchs in einem Garten am Meer versetzt hatte.

Rainer Maria Rilke, geboren am 4. Dezember 1875 in Prag, starb am 29. Dezember 1926 in Val-Mont (Schweiz).

insel taschenbuch 2690
Rainer Maria Rilke
Der Cornet
Die weiße Fürstin

Rainer Maria Rilke
Die Weise von Liebe und Tod des Cornets Christoph Rilke

Die weiße Fürstin

Eine Szene am Meer

Mit einem Nachwort
von Manfred Engel

Insel Verlag

Umschlagabbildung: Camille Claudel, Vertumnus
und Pomona. Marmor, 1888. Detail.
© VG Bild-Kunst, Bonn 2000

Einmalige Sonderausgabe
insel taschenbuch 2690
Erste Auflage 2000
© Insel Verlag Frankfurt am Main und Leipzig 2000
Alle Rechte vorbehalten, insbesondere das der Übersetzung,
des öffentlichen Vortrags sowie der Übertragung
durch Rundfunk und Fernsehen, auch einzelner Teile.
Kein Teil des Werkes darf in irgendeiner Form
(durch Fotografie, Mikrofilm oder andere Verfahren)
ohne schriftliche Genehmigung des Verlages reproduziert
oder unter Verwendung elektronischer Systeme verarbeitet,
vervielfältigt oder verbreitet werden.
Vertrieb durch den Suhrkamp Taschenbuch Verlag
Satz: MZ-Verlagsdruckerei GmbH, Memmingen
Druck: Clausen & Bosse, Leck
Printed in Germany

1 2 3 4 5 6 – 05 04 03 02 01 00

*Die Weise von Liebe und Tod
des Cornets Christoph Rilke*

Geschrieben 1899

»... den 24. November 1663 wurde Otto von Rilke | auf Langenau | Gränitz und Ziegra | zu Linda mit seines in Ungarn gefallenen Bruders Christoph hinterlassenem Antheile am Gute Linda beliehen; doch mußte er einen Revers ausstellen | nach welchem die Lehensreichung null und nichtig sein sollte | im Falle sein Bruder Christoph (der nach beigebrachtem Totenschein als Cornet in der Compagnie des Freiherrn von Pirovano des kaiserl. oesterr. Heysterschen Regiments zu Roß.... verstorben war) zurückkehrt...«

Reiten, reiten, reiten, durch den Tag, durch die Nacht, durch den Tag.

Reiten, reiten, reiten.

Und der Mut ist so müde geworden und die Sehnsucht so groß. Es gibt keine Berge mehr, kaum einen Baum. Nichts wagt aufzustehen. Fremde Hütten hocken durstig an versumpften Brunnen. Nirgends ein Turm. Und immer das gleiche Bild. Man hat zwei Augen zuviel. Nur in der Nacht manchmal glaubt man den Weg zu kennen. Vielleicht kehren wir nächtens immer wieder das Stück zurück, das wir in der fremden Sonne mühsam gewonnen haben? Es kann sein. Die Sonne ist schwer, wie bei uns tief im Sommer. Aber wir haben im Sommer Abschied genommen. Die Kleider der Frauen leuchteten lang aus dem Grün. Und nun reiten wir lang. Es muß also Herbst sein. Wenigstens dort, wo traurige Frauen von uns wissen.

Der von Langenau rückt im Sattel und sagt: »Herr Marquis...«
Sein Nachbar, der kleine feine Franzose, hat erst drei Tage lang gesprochen und gelacht. Jetzt weiß er nichts mehr. Er ist wie ein Kind, das schlafen möchte. Staub bleibt auf seinem feinen weißen Spitzenkragen liegen; er merkt es nicht. Er wird langsam welk in seinem samtenen Sattel.
Aber der von Langenau lächelt und sagt: »Ihr habt seltsame Augen, Herr Marquis. Gewiß seht Ihr Eurer Mutter ähnlich –«
Da blüht der Kleine noch einmal auf und stäubt seinen Kragen ab und ist wie neu.

Jemand erzählt von seiner Mutter. Ein Deutscher offenbar. Laut und langsam setzt er seine Worte. Wie ein Mädchen, das Blumen bindet, nachdenklich Blume um Blume probt und noch nicht weiß, was aus dem Ganzen wird –: so fügt er seine Worte. Zu Lust? Zu Leide? Alle lauschen. Sogar das Spucken hört auf. Denn es sind lauter Herren, die wissen, was sich gehört. Und wer das Deutsche nicht kann in dem Haufen, der versteht es auf einmal, fühlt einzelne Worte: »Abends«... »Klein war...«

Da sind sie alle einander nah, diese Herren, die aus Frankreich kommen und aus Burgund, aus den Niederlanden, aus Kärntens Tälern, von den böhmischen Burgen und vom Kaiser Leopold. Denn was der Eine erzählt, das haben auch sie erfahren und gerade so. Als ob es nur *eine* Mutter gäbe...

So reitet man in den Abend hinein, in irgend einen Abend. Man schweigt wieder, aber man hat die lichten Worte mit. Da hebt der Marquis den Helm ab. Seine dunklen Haare sind weich und, wie er das Haupt senkt, dehnen sie sich frauenhaft auf seinem Nacken. Jetzt erkennt auch der von Langenau: Fern ragt etwas in den Glanz hinein, etwas Schlankes, Dunkles. Eine einsame Säule, halbverfallen. Und wie sie lange vorüber sind, später, fällt ihm ein, daß das eine Madonna war.

Wachtfeuer. Man sitzt rundumher und wartet. Wartet, daß einer singt. Aber man ist so müd. Das rote Licht ist schwer. Es liegt auf den staubigen Schuhn. Es kriecht bis an die Kniee, es schaut in die gefalteten Hände hinein. Es hat keine Flügel. Die Gesichter sind dunkel. Dennoch leuchten eine Weile die Augen des kleinen Franzosen mit eigenem Licht. Er hat eine kleine Rose geküßt, und nun darf sie weiterwelken an seiner Brust. Der von Langenau hat es gesehen, weil er nicht schlafen kann. Er denkt: Ich habe keine Rose, keine.

Dann singt er. Und das ist ein altes trauriges Lied, das zu Hause die Mädchen auf den Feldern singen, im Herbst, wenn die Ernten zu Ende gehen.

Sagt der kleine Marquis: »Ihr seid sehr jung, Herr?«
Und der von Langenau, in Trauer halb und halb im Trotz:
»Achtzehn.« Dann schweigen sie.
Später fragt der Franzose: »Habt Ihr auch eine Braut daheim, Herr Junker?«
»Ihr?« gibt der von Langenau zurück.
»Sie ist blond wie Ihr.«
Und sie schweigen wieder, bis der Deutsche ruft: »Aber zum Teufel, warum sitzt Ihr denn dann im Sattel und reitet durch dieses giftige Land den türkischen Hunden entgegen?«
Der Marquis lächelt. »Um wiederzukehren.«
Und der von Langenau wird traurig. Er denkt an ein blondes Mädchen, mit dem er spielte. Wilde Spiele. Und er möchte nach Hause, für einen Augenblick nur, nur für so lange, als es braucht, um die Worte zu sagen: »Magdalena, – daß ich immer *so war*, verzeih!«
Wie – war? denkt der junge Herr. – Und sie sind weit.

Einmal, am Morgen, ist ein Reiter da, und dann ein zweiter, vier, zehn. Ganz in Eisen, groß. Dann tausend dahinter: Das Heer.
Man muß sich trennen.
»Kehrt glücklich heim, Herr Marquis. –«
»Die Maria schützt Euch, Herr Junker.«
Und sie können nicht voneinander. Sie sind Freunde auf einmal, Brüder. Haben einander mehr zu vertrauen; denn sie wissen schon so viel Einer vom Andern. Sie zögern. Und ist Hast und Hufschlag um sie. Da streift der Marquis den großen rechten Handschuh ab. Er holt die kleine Rose hervor, nimmt ihr ein Blatt. Als ob man eine Hostie bricht.
»Das wird Euch beschirmen. Lebt wohl.«
Der von Langenau staunt. Lange schaut er dem Franzosen nach. Dann schiebt er das fremde Blatt unter den Waffenrock. Und es treibt auf und ab auf den Wellen seines Herzens. Hornruf. Er reitet zum Heer, der Junker. Er lächelt traurig: ihn schützt eine fremde Frau.

Ein Tag durch den Troß. Flüche, Farben, Lachen –: davon blendet das Land. Kommen bunte Buben gelaufen. Raufen und Rufen. Kommen Dirnen mit purpurnen Hüten im flutenden Haar. Winken. Kommen Knechte, schwarzeisern wie wandernde Nacht. Packen die Dirnen heiß, daß ihnen die Kleider zerreißen. Drücken sie an den Trommelrand. Und von der wilderen Gegenwehr hastiger Hände werden die Trommeln wach, wie im Traum poltern sie, poltern –. Und Abends halten sie ihm Laternen her, seltsame: Wein, leuchtend in eisernen Hauben. Wein? Oder Blut? – Wer kanns unterscheiden?

Endlich vor Spork. Neben seinem Schimmel ragt der Graf. Sein langes Haar hat den Glanz des Eisens.
Der von Langenau hat nicht gefragt. Er erkennt den General, schwingt sich vom Roß und verneigt sich in einer Wolke Staub. Er bringt ein Schreiben mit, das ihn empfehlen soll beim Grafen. Der aber befiehlt: »Lies mir den Wisch.« Und seine Lippen haben sich nicht bewegt. Er braucht sie nicht dazu; sind zum Fluchen gerade gut genug. Was drüber hinaus ist, redet die Rechte. Punktum. Und man sieht es ihr an. Der junge Herr ist längst zu Ende. Er weiß nicht mehr, wo er steht. Der Spork ist vor Allem. Sogar der Himmel ist fort. Da sagt Spork, der große General:
»Cornet.«
Und das ist viel.

Die Kompagnie liegt jenseits der Raab. Der von Langenau reitet hin, allein. Ebene. Abend. Der Beschlag vorn am Sattel glänzt durch den Staub. Und dann steigt der Mond. Er sieht es an seinen Händen.
Er träumt.
Aber da schreit es ihn an.
Schreit, schreit,
zerreißt ihm den Traum.
Das ist keine Eule. Barmherzigkeit:
der einzige Baum
schreit ihn an:
Mann!
Und er schaut: es bäumt sich. Es bäumt sich ein Leib
den Baum entlang, und ein junges Weib,
blutig und bloß,
fällt ihn an: Mach mich los!

Und er springt hinab in das schwarze Grün
und durchhaut die heißen Stricke;
und er sieht ihre Blicke glühn
und ihre Zähne beißen.

Lacht sie?

Ihn graust.
Und er sitzt schon zu Roß
und jagt in die Nacht. Blutige Schnüre fest in der Faust.

Der von Langenau schreibt einen Brief, ganz in Gedanken. Langsam malt er mit großen, ernsten, aufrechten Lettern:
>»*Meine gute Mutter,*
>»*seid stolz: Ich trage die Fahne,*
>»*seid ohne Sorge: Ich trage die Fahne,*
>»*habt mich lieb: Ich trage die Fahne –*«

Dann steckt er den Brief zu sich in den Waffenrock, an die heimlichste Stelle, neben das Rosenblatt. Und denkt: er wird bald duften davon. Und denkt: vielleicht findet ihn einmal Einer... Und denkt:....; denn der Feind ist nah.

Sie reiten über einen erschlagenen Bauer. Er hat die Augen weit offen und Etwas spiegelt sich drin; kein Himmel. Später heulen Hunde. Es kommt also ein Dorf, endlich. Und über den Hütten steigt steinern ein Schloß. Breit hält sich ihnen die Brücke hin. Groß wird das Tor. Hoch willkommt das Horn. Horch: Poltern, Klirren und Hundegebell! Wiehern im Hof, Hufschlag und Ruf.

Rast! Gast sein einmal. Nicht immer selbst seine Wünsche bewirten mit kärglicher Kost. Nicht immer feindlich nach allem fassen; einmal sich alles geschehen lassen und wissen: was geschieht, ist gut. Auch der Mut muß einmal sich strecken und sich am Saume seidener Decken in sich selber überschlagen. Nicht immer Soldat sein. Einmal die Locken offen tragen und den weiten offenen Kragen und in seidenen Sesseln sitzen und bis in die Fingerspitzen *so*: nach dem Bad sein. Und wieder erst lernen, was Frauen sind. Und wie die weißen tun und wie die blauen sind; was für Hände sie haben, wie sie ihr Lachen singen, wenn blonde Knaben die schönen Schalen bringen, von saftigen Früchten schwer.

Als Mahl beganns. Und ist ein Fest geworden, kaum weiß man wie. Die hohen Flammen flackten, die Stimmen schwirrten, wirre Lieder klirrten aus Glas und Glanz, und endlich aus den reifgewordnen Takten: entsprang der Tanz. Und alle riß er hin. Das war ein Wellenschlagen in den Sälen, ein Sich-Begegnen und ein Sich-Erwählen, ein Abschiednehmen und ein Wiederfinden, ein Glanzgenießen und ein Lichterblinden und ein Sich-Wiegen in den Sommerwinden, die in den Kleidern warmer Frauen sind.
Aus dunklem Wein und tausend Rosen rinnt die Stunde rauschend in den Traum der Nacht.

Und Einer steht und staunt in diese Pracht. Und er ist so geartet, daß er wartet, ob er erwacht. Denn nur im Schlafe schaut man solchen Staat und solche Feste solcher Frauen: ihre kleinste Geste ist eine Falte, fallend in Brokat. Sie bauen Stunden auf aus silbernen Gesprächen, und manchmal heben sie die Hände so –, und du mußt meinen, daß sie irgendwo, wo du nicht hinreichst, sanfte Rosen brächen, die du nicht siehst. Und da träumst du: Geschmückt sein mit ihnen und anders beglückt sein und dir eine Krone verdienen für deine Stirne, die leer ist.

Einer, der weiße Seide trägt, erkennt, daß er nicht erwachen kann; denn er ist wach und verwirrt von Wirklichkeit. So flieht er bange in den Traum und steht im Park, einsam im schwarzen Park. Und das Fest ist fern. Und das Licht lügt. Und die Nacht ist nahe um ihn und kühl. Und er fragt eine Frau, die sich zu ihm neigt:
»Bist Du die Nacht?«
Sie lächelt.
Und da schämt er sich für sein weißes Kleid.
Und möchte weit und allein und in Waffen sein.
Ganz in Waffen.

»Hast Du vergessen, daß Du mein Page bist für diesen Tag? Verlässest Du mich? Wo gehst Du hin? Dein weißes Kleid gibt mir Dein Recht –.«

»Sehnt es Dich nach Deinem rauhen Rock?«

»Frierst Du? – Hast Du Heimweh?«
Die Gräfin lächelt.
Nein. Aber das ist nur, weil das Kindsein ihm von den Schultern gefallen ist, dieses sanfte dunkle Kleid. Wer hat es fortgenommen? »Du?« fragt er mit einer Stimme, die er noch nicht gehört hat. »Du!«
Und nun ist nichts an ihm. Und er ist nackt wie ein Heiliger. Hell und schlank.

Langsam lischt das Schloß aus. Alle sind schwer: müde oder verliebt oder trunken. Nach so vielen leeren, langen Feldnächten: Betten. Breite eichene Betten. Da betet sichs anders als in der lumpigen Furche unterwegs, die, wenn man einschlafen will, wie ein Grab wird.
»Herrgott, wie Du willst!«
Kürzer sind die Gebete im Bett.
Aber inniger.

Die Turmstube ist dunkel.
Aber sie leuchten sich ins Gesicht mit ihrem Lächeln. Sie tasten vor sich her wie Blinde und finden den Andern wie eine Tür. Fast wie Kinder, die sich vor der Nacht ängstigen, drängen sie sich in einander ein. Und doch fürchten sie sich nicht. Da ist nichts, was gegen sie wäre: kein Gestern, kein Morgen; denn die Zeit ist eingestürzt. Und sie blühen aus ihren Trümmern.
Er fragt nicht: »Dein Gemahl?«
Sie fragt nicht: »Dein Namen?«
Sie haben sich ja gefunden, um einander ein neues Geschlecht zu sein.
Sie werden sich hundert neue Namen geben und einander alle wieder abnehmen, leise, wie man einen Ohrring abnimmt.

Im Vorsaal über einem Sessel hängt der Waffenrock, das Bandelier und der Mantel von dem von Langenau. Seine Handschuhe liegen auf dem Fußboden. Seine Fahne steht steil, gelehnt an das Fensterkreuz. Sie ist schwarz und schlank. Draußen jagt ein Sturm über den Himmel hin und macht Stücke aus der Nacht, weiße und schwarze. Der Mondschein geht wie ein langer Blitz vorbei, und die reglose Fahne hat unruhige Schatten. Sie träumt.

War ein Fenster offen? Ist der Sturm im Haus? Wer schlägt die Türen zu? Wer geht durch die Zimmer? – Laß. Wer es auch sei. Ins Turmgemach findet er nicht. Wie hinter hundert Türen ist dieser große Schlaf, den zwei Menschen gemeinsam haben; so gemeinsam wie *eine* Mutter oder *einen* Tod.

Ist das der Morgen? Welche Sonne geht auf? Wie groß ist die Sonne. Sind das Vögel? Ihre Stimmen sind überall.
Alles ist hell, aber es ist kein Tag.
Alles ist laut, aber es sind nicht Vogelstimmen.
Das sind die Balken, die leuchten. Das sind die Fenster, die schrein. Und sie schrein, rot, in die Feinde hinein, die draußen stehn im flackernden Land, schrein: Brand.
Und mit zerrissenem Schlaf im Gesicht drängen sich alle, halb Eisen, halb nackt, von Zimmer zu Zimmer, von Trakt zu Trakt und suchen die Treppe.
Und mit verschlagenem Atem stammeln Hörner im Hof: Sammeln, sammeln!
Und bebende Trommeln.

Aber die Fahne ist nicht dabei.
Rufe: Cornet!
Rasende Pferde, Gebete, Geschrei,
Flüche: Cornet!
Eisen an Eisen, Befehl und Signal;
Stille: Cornet!
Und noch ein Mal: Cornet!
Und heraus mit der brausenden Reiterei.
— —
Aber die Fahne ist nicht dabei.

Er läuft um die Wette mit brennenden Gängen, durch Türen, die ihn glühend umdrängen, über Treppen, die ihn versengen, bricht er aus aus dem rasenden Bau. Auf seinen Armen trägt er die Fahne wie eine weiße, bewußtlose Frau. Und er findet ein Pferd, und es ist wie ein Schrei: über alles dahin und an allem vorbei, auch an den Seinen. Und da kommt auch die Fahne wieder zu sich und niemals war sie so königlich; und jetzt sehn sie sie alle, fern voran, und erkennen den hellen, helmlosen Mann und erkennen die Fahne…
Aber da fängt sie zu scheinen an, wirft sich hinaus und wird groß und rot…

Da brennt ihre Fahne mitten im Feind, und sie jagen ihr nach.

Der von Langenau ist tief im Feind, aber ganz allein. Der Schrecken hat um ihn einen runden Raum gemacht, und er hält, mitten drin, unter seiner langsam verlodernden Fahne.

Langsam, fast nachdenklich, schaut er um sich. Es ist viel Fremdes, Buntes vor ihm. Gärten – denkt er und lächelt. Aber da fühlt er, daß Augen ihn halten und erkennt Männer und weiß, daß es die heidnischen Hunde sind –: und wirft sein Pferd mitten hinein.

Aber, als es jetzt hinter ihm zusammenschlägt, sind es doch wieder Gärten, und die sechzehn runden Säbel, die auf ihn zuspringen, Strahl um Strahl, sind ein Fest.

Eine lachende Wasserkunst.

Der Waffenrock ist im Schlosse verbrannt, der Brief und das Rosenblatt einer fremden Frau. –
Im nächsten Frühjahr (es kam traurig und kalt) ritt ein Kurier des Freiherrn von Pirovano langsam in Langenau ein. Dort hat er eine alte Frau weinen sehen.

Die weiße Fürstin

Eine Szene am Meer

Szene

Die Hinterbühne:
Eine fürstliche Villa (gegen Ende des XVI. Jahrhunderts). Auf offener Loggia von fünf Bogen ein einfaches, geschlossenes Pilastergeschoß. Davor eine von Statuen eingefaßte Terrasse, von der sich eine Treppe mit breiten Stufen nach dem Garten niederläßt. Im Hintergrunde, hinter der Villa: der Park.

Die Mittelbühne:
Der Garten; Lorbeerbüsche, Maulbeerbäume und in der Mitte, auf die Treppe zu, eine Platanen-Allee. Vorn links: eine Steinbank mit Kissen und die Bildsäule einer vielbrüstigen Göttin.

Die Vorderbühne:
Steiniger Strand (mit Landungssteg) und das Meer, welches von der Seite des Zuschauers her gegen die Szene wogt, in gleichmäßig landender Bewegung. – Die Villa spiegelt den Himmel und die Weite des Meeres.

Figuren:
Die weiße Fürstin. Ihre Schwester Monna Lara. Der Haushofmeister Amadeo. Zwei Mönche in schwarzer Maske. Ein Bote.

DIE WEISSE FÜRSTIN *sie lehnt vorn auf der Steinbank. Sie trägt ein weiches, weißes Gewand. In ihren Augen ist Warten und Lauschen. Pause.*
AMADEO, DER ALTE *in schwarzer Haustracht, ernst. Er neigt sich tief*
Der Fürst ist fort.

DIE WEISSE FÜRSTIN *senkt leise die Stirne.*
Pause.
AMADEO, DER ALTE
  Und was gebietet Ihr?
  Pause.
DIE WEISSE FÜRSTIN
  in Gedanken
  Es ist zum erstenmal, daß uns der Fürst verläßt,
  nicht wahr?
AMADEO, DER ALTE
  Zum erstenmal seit Eurem Hochzeitsfest.
DIE WEISSE FÜRSTIN
  Und das ist lange.
AMADEO, DER ALTE
  Es ist das elfte Jahr seit wir das Tor geschmückt
  Euch zum Empfange.
  Pause.
DIE WEISSE FÜRSTIN
  Man muß nicht denken, daß das viele sind.
  Ich war ein Kind.
AMADEO, DER ALTE
  Ich kann mich noch entsinnen;
  der Kranz schien viel zu früh für Euer Haupt –
  Er zögert ängstlich
  aber aus Kindern werden Königinnen...
DIE WEISSE FÜRSTIN
  Ja, wenn man ihnen alle Rosen raubt
  und alle Mythen
  und mit den reifenden Orangenblüten
  die Stirn umlaubt,
  bis sie die Schatten glaubt, die kalt

vom frühen Brautkranz auf sie niederrinnen:
dann werden aus den Kindern – Königinnen.
Pause.
Sie erhebt sich, lebhafter
Der Fürst nahm viele Diener in den Wald?
rasch
Send alle fort, mach mir die Säle leer,
daß keiner mir begegne in den Gängen;
denn mir soll sein, als käm ich heute her
zu singen und die Säulen zu umwinden
mit Fruchtgehängen
dichtgefügt und schwer.

AMADEO, DER ALTE

Befehlt, ich werde einen Vorwand finden
und das Gesinde in die Winde streun;
ich aber darf wohl Euern Tag betreun?

DIE WEISSE FÜRSTIN

Nein. Geh auch du. Mir ist, du wolltest längst
nach Pietrasanta, deine Enkel sehn.
Heut solls geschehn.

AMADEO, DER ALTE

Ihr wißt so gütig meiner zu gedenken...

DIE WEISSE FÜRSTIN

Ich bin nicht gut. Ich kann dich nur beschenken,
weil du mit gleicher Freiheit mich beschenkst.
Und weil du so an Monna Lara hängst,
so nimm sie mit zu deinen klugen Kleinen.

AMADEO, DER ALTE

Das ist ein Goldenes, das Ihr mir gönnt.

DIE WEISSE FÜRSTIN

Und dann vergeßt nicht: Seide nehmt und Leinen

        aus meinen Schränken
        mit, so viel Ihr könnt.
AMADEO, DER ALTE
        Ihr macht uns reich.
DIE WEISSE FÜRSTIN
        Könnt ich Euch sorglos machen!
        Wer hat denn Zeit – das Leben ist so viel –,
        an Not zu denken, an die kleinen Sachen,
        da doch in uns die großen Dinge wachen.
        Man soll nicht weinen und man soll nicht lachen;
        hingleiten soll man wie ein sanfter Nachen
        und horchen auf des eignen Kieles Spiel.
        Pause.
        Verzeiht, ich rede aus Gedanken. Seht,
        die sind in mir so seltsam aufgeschichtet,
        so Jahr um Jahr. Wie einer, welcher dichtet,
        und einer, der sehr alt ist, das und das
        in seinem Innern findet. – Aber geht,
        und wenn Ihr wiederkommt, erzählt mir was,
        woran ein Kind sich freuen kann. Es steht
        Euch Freudiges bevor. Vielleicht auch mir.
        Wir wollen aneinander denken.
AMADEO, DER ALTE *verneigt sich tief.*
    *Er geht durch die Platanen-Allee auf das Haus zu und
    quer über die Terrasse.*
    Pause.
DIE WEISSE FÜRSTIN *tritt ganz an den Rand der Küste.*
    *In ihren Augen ist das Meer. Sie hebt langsam die Arme
    und hält sie eine Weile weit ausgebreitet.*
    Pause.
MONNA LARA *kommt von der Terrasse her.*

Sie trägt ein hängendes Kleid aus verblichenem Blau.
Leise legt sie den Arm um die Fürstin.
Sie schauen beide aufs Meer.
Pause.
MONNA LARA *leise*
Laß mich bei dir.
Pause.
DIE WEISSE FÜRSTIN
Du liebst doch Kinder, nicht?
MONNA LARA
Ich liebe dich.
Kleine Pause.
DIE WEISSE FÜRSTIN
Du weißt nicht, wer ich bin.
MONNA LARA *wendet das Haupt und sieht der*
Schwester ins Gesicht.
DIE WEISSE FÜRSTIN
Du Kind...
MONNA LARA
Ob wir im Traum
nicht manchmal älter sind?
Da sah ich dich. Da warst du wie ein Baum.
Du standest einsam und so jung von Grün
und warst von einem Abend angeglüht.
Und ich ging hin und kam ganz nah
und sah und sagte laut: Du hast noch nicht geblüht.
Und fragte dich: Wann wirst du blühn?
DIE WEISSE FÜRSTIN *nimmt ihre beiden Hände.*
Leise
Nun stell dir vor, der Traum ist nicht vorbei.
Sei tief im Traum, du Schlafende. Es sei

dein Traum und meiner. Hast du oft geträumt,
so weißt du auch, wie unberechenbar
der Traum uns trägt. Er wendet sich, er bäumt
sich auf und er ist voll Gefahr.
Er rennt und jagt, dann wieder steht er still
und will nicht weiter; und er zittert so
wie Pferde zittern, wenn von irgendwo
genau derselbe Reiter noch einmal
entgegenkommt, genau dasselbe Tier,
derselbe Herr darauf, verzerrt und fahl –.
So, nicht wahr, ohne Absehn träumen wir.
Du weißt, im Traume kann so vielerlei
geschehn. Und es kann so verwandelt sein.
Wie eine Blume lautlos schläfst du ein,
und du erwachst vielleicht in einem Schrei…

MONNA LARA

Doch Traum ist Traum. Das kommt und das vergeht.
Und wenn es Morgen ist, so glänzt das Haus
und alle Träume sehen anders aus…

DIE WEISSE FÜRSTIN

Und sind doch ewig in uns eingewebt.
Bedenk, ist irgend Leben mehr erlebt
als deiner Träume Bilder? Und mehr dein?
Du schläfst, allein. Die Türe ist verriegelt.
Nichts kann geschehn. Und doch, von dir gespiegelt,
hängt eine fremde Welt in dich hinein.
Pause.
So lag ich oft. Und draußen war ein Wandern,
da nahte, da entfernte sich ein Schritt;
mir aber wars der Herzschlag eines andern,
der draußen schlug und den ich drinnen litt.

Ich litt ihn, wie ein Tier den Tod erleidet,
ich konnte keinem sagen, was mir war.
Aber am Morgen kämmten sie mein Haar,
und immer wieder ward ich angekleidet
für einen Tag –; mir schien es für ein Jahr.
Mir war, als ob das ganze Leben stände,
solang ich wachte; alles was geschah
fiel mir vorbei den Träumen in die Hände –
jetzt aber weiß ich: es ist dennoch da.
Die Welt ist groß, doch in uns wird sie tief
wie Meeresgrund. Es hat fast nichts zu sagen,
ob einer wachte oder schlief, –
er hat sein ganzes Leben doch getragen,
sein Leid wird dennoch sein, und es verlief
sein Glück sich nicht. Tief unter schwerer Ruh
geschieht Notwendiges in halbem Lichte,
und endlich kommt, mit strahlendem Gesichte,
sein Schicksal dennoch auf ihn zu.

MONNA LARA

Ich weiß nicht, Schwester, was du sagst. Ich seh
dich nur. Es tut mir alles weh
von dir. Du bist so schwer.
Und doch will ich mehr von dir wissen.
Ich will eine Nacht auf deinem Kissen
schlafen. Ich will am Morgen dein warmes
Haar kämmen – drei Stunden – solang meines Armes
Kraft ist. Ich will dir dienen.

DIE WEISSE FÜRSTIN

Du bist mir nie so erwachsen erschienen.

MONNA LARA

Ich will mit dir weinen –

DIE WEISSE FÜRSTIN
 Ich weine nicht. Ich denke an Einen.
MONNA LARA
 Denkst du ihn klar?
 Ich möchte so gerne an einen denken,
 aber ich kann mich in keinen versenken;
 jeder zerfließt mir so sonderbar.
DIE WEISSE FÜRSTIN
 Ich fühle ihn klarer Jahr um Jahr.
 Er hat dich einmal an der Hand gehalten,
 (da warst du klein).
 Dir war er Gestalt unter großen Gestalten,
 mir war er nicht mein.
 Aber in einer Nacht, in der einen,
 da ich lange und ungestillt
 weinte, da bildete sich sein Bild
 aus meinen Händen unter dem Weinen.
 Und seither wuchs es in mir heran
 wie Knaben wachsen;
 und ist ein Mann.
MONNA LARA
 Das kann also sein: daß man tief vergißt,
 um tief zu gedenken ...
DIE WEISSE FÜRSTIN
 Wir sind des Falles
 entfernter Dinge dämmernder Schacht –
MONNA LARA
 Und meine Tage? Und Nacht um Nacht?
 Und ich soll warten? – Gott, wie ist alles
 lange und langsam, was Leben ist.

DIE WEISSE FÜRSTIN
Du liebe kleine Schwester, sei nicht bange;
bedenke, das ist alles unser Traum;
da kann das Kurze lang sein, und das Lange
ist ohne Ende. Und die Zeit ist Raum.
*Sie nimmt Monna Laras Haupt in ihre beiden Hände
und küßt ihre Stirne mit langer milder Zärtlichkeit.
Amadeo, der Alte, der seit einer Weile in der Allee ge-
standen hat, kommt vorsichtig näher; er verneigt sich.*
AMADEO, DER ALTE
Frau Fürstin –
DIE WEISSE FÜRSTIN
Seid Ihr noch nicht fort?
AMADEO, DER ALTE
Verzeiht.
Zum Aufbruch waren wir bereit,
da kam ein Bote in verstaubtem Kleid
mit einem Brief; jetzt wartet er im Saal.
DIE WEISSE FÜRSTIN
Ich will ihn sehn.
AMADEO, DER ALTE *verneigt sich.*
DIE WEISSE FÜRSTIN
Und Monna Lara wird ein andres Mal
zu Euren blonden Enkeln Euch begleiten.
MONNA LARA *zu Amadeo*
Wir wollen einmal früh hinüberreiten
an einem Sommermorgen, Ihr und ich;
mein alter Freund, heut grüß ich sie vom weiten,
ich bin zu traurig und zu feierlich...

AMADEO, DER ALTE *verneigt sich tief. Geht in das Haus.*
MONNA LARA *nachdenklich lächelnd*
 Zu feierlich für Kinder. Und doch Kind.
 Nicht wahr? Was sonst. Etwas verwandelt sich,
 etwas fällt ab von mir. Doch es beginnt
 noch nicht das Nächste. Meine Hände sind
 Zugvögel, die zum erstenmal das Meer
 hinüberfliegen; da ist keine Stelle.
 Und sie versuchen, die und jene Welle
 zu merken für den Weg der Wiederkehr –
DIE WEISSE FÜRSTIN *nimmt ihre beiden Hände und betrachtet sie*
 Sie scheinen sich allein; doch fliegen Schwärme
 desselben Weges zu den heißen Hügeln;
 der Himmel liegt auf Millionen Flügeln.
 Und alle kommen in die große Wärme.
 Indessen ist der Bote schnellen Schrittes in der Allee
 näher gekommen; da Monna Lara ihn gewahrt, macht
 sie sich frei und sieht ihm entgegen. Plötzlich, wie in
 Angst
MONNA LARA
 Soll ich hineingehn? Bist du gern allein?
DIE WEISSE FÜRSTIN
 Nein. Wenn du gehst, so gehst du nur zum Schein.
 Denn was bedeutet es, geht Baum nach Baum
 an dir vorbei. Das, was du bist, das rührt sich kaum.
 Du bist nicht fort, und ich bin nicht allein.
 Der Bote geht auf die Fürstin zu und reicht ihr einen Brief.
 Er geht hierauf bis an den Anfang der Allee zurück.
 Die Fürstin öffnet ihn und reicht ihn, ohne zu lesen,
 Monna Lara; sie lächelt.

DIE WEISSE FÜRSTIN
  Ich weiß die Botschaft. Lange. Aber lies.
MONNA LARA *sie liest aufmerksam, fast angestrengt*
  Und wenn du winkest... Was bedeutet dies?
DIE WEISSE FÜRSTIN
  Daß ich allein bin. Daß ich hier gebiete.
  Daß seine Barke landen kann am Strand.
  Und daß ich einen, welcher uns verriete,
  erwürgen würde: hier, mit dieser Hand.
MONNA LARA *staunend*
  So soll er kommen, heute, her? Am Parke
  hier wird er landen, wirklich, wie ein Gast?
DIE WEISSE FÜRSTIN
  Hast du das nicht gewußt?
MONNA LARA
  Es war mir fast,
  als ginge heute etwas auf uns zu.
  Mit plötzlicher Bewunderung
  Du Liebliche, du Wundersame, Starke.
DIE WEISSE FÜRSTIN *in Gedanken*
  Er schickt noch einen Brief, das große Kind.
  Er muß noch schreiben, dieser liebe Knabe:
  ›Schau her, ich komme‹.. Ist mein Blut denn blind?
  Und n o c h ein Bote. Hundert Boten habe
  ich heute schon empfangen. Duft und Wind,
  Gesang und Stille, fernes Wagenrollen,
  ein Vogelruf, und du, dein Bleibenwollen –
  was war nicht Bote? Wieviel Boten stehn
  vor meinem Herzen, – gehn mir im Gehöre
  und drängen sich in meinen Adern – ach!
  Und er besorgt noch, daß ich ihn verlöre.

MONNA LARA
 Ich kann verstehen, daß er tausendfach
 sich sichern will. Wenn etwas noch geschähe,
 wenn ein Geschick sich wendete und drohte, –
 o welche Angst ist diese große Nähe
 von Kommendem...
DIE WEISSE FÜRSTIN
 Der Bote.
 Er wartet noch, und wir vergessen ihn.
 Sie winkt. Der Bote tritt herzu und verneigt sich.
 Ihr sollt Euch stärken, Freund. Die Sonne schien
 auf Euren Brief. Der Weg war weit und heiß.
 Ihr seid aus Lucca?
DER BOTE
 Wie Ihr sagt.
DIE WEISSE FÜRSTIN
 Ich weiß.
 Wie steht es in der Stadt?
DER BOTE
 Erlauchte Frau,
 grau ist die Stadt. Wie dieser Staub so grau.
 Sie steht, als stünde Frohes nicht bevor.
 Sie war ganz ohne Stimme, nur am Tor,
 da rauften sich die Wachen, da ich ging,
 und schrien mich an und fielen nach mir aus.
 Ich dankte Gott, daß ich mich nicht verfing
 in dieses Hauen. Heil kam ich heraus –
DIE WEISSE FÜRSTIN *läßt sich vorn auf der Bank nieder;*
 während des Folgenden hört sie immer weniger auf die
 Worte des Boten und versinkt in sich selbst, mit weiten
 Augen hinausschauend aufs Meer

Und wandertet, vermut ich, voller Mut
und heil des Weges? War der Weg denn gut?
DER BOTE
 Der Weg war gut, erlauchte Frau. Er bot
 zwar wenig Schatten. Aber das war besser
 als durch die Dörfer kommen. Wie durch Messer
 so ging man durch den Aufschrei ihrer Not.
 Da ist der Tod, erlauchte Frau, der Tod.
 Ich sah ein Haus, in seiner Türe schrie
 ein schwangres Weib und riß sich an den Haaren.
 Und viele Frauen, die nicht schwanger waren –
 das macht die Angst, so denk ich – schrien wie sie.
 Und da und dort ging einer mir vorbei
 und griff auf einmal so ins Ungewisse
 und biß die Luft, und plötzlich durch die Bisse
 des blauen Mundes drängte sich ein Schrei.
 Ein Schrei, das sagt man so, wer läßt sich stören?
 Ich habe viele Männer schreien hören,
 und es kam vor, ich habe selbst geschrien;
 doch niemals hört ich einen schrein wie ihn.
 Ja, es gibt Dinge, die man nicht vergißt: –
 da war die Angst, die in den Tieren ist,
 die Angst von Weibern, wenn sie irre kreißen,
 die Angst von kleinen Kindern war darin, –
 und das ergriff ihn, und das warf ihn hin,
 und das war so, als müßt es ihn zerreißen.
MONNA LARA *die den Boten starr ansieht, tritt scheu*
an die Bank zurück. Sie zwingt sich zu sagen
 War das in San Terenzo, was Ihr saht?
DER BOTE
 Nein, edles Fräulein. In Vezzano war es.

In San Terenzo war es still. Ich trat
in eine Kirche ein und bat
im Lichte eines einzigen Altares
um gute Reise. Ich war ganz allein.
Doch in Sarzana, in der Kathedrale,
da sangen sie. Was sag ich, singen? Nein,
auch das war Schreien: wie mit einemmale
an Siebenhundert und die Orgel schrien.
Sie knieten, Fräulein. Ihre Hälse waren
wie Stengel vom Rhabarber, stimmenstrotzend.
Die Augen waren bei den Männern glotzend,
wie Munde offen, bei den Frauen zu.
Sogar die Kinder hatten keine Ruh:
wie lange Hälse streckten sie die Arme
und hielten sie wie einen zweiten Mund
aus dem Gedränge, aus dem warmen Schwarme;
erbarme! brüllten sie, erbarme! Und:
erbarme! donnerte im Hintergrund
der breite Bischof vor dem Hochaltare
das Tabernakel an, so daß die klare
Monstranz erzitterte und schien, als sende
sie Blicke aus. Sie aber schrien, es war
als zöge Gott sie an dem obern Ende
der langen Stimmen wie an langem Haar.
Und als ich mich zwischen die andern schob,
empfand ich (noch empfind ichs an den Sohlen),
daß sich die ganze Kathedrale hob –
und wieder senkte, wie ein Atemholen. –
Das war ein Wunder. Wunder tun uns not.
Ihr habt das nicht gesehen, wie der Tod
da kommt und geht, ganz wie im eignen Haus;

und ist nicht unser Tod, ein fremder, aus...
aus irgendeiner grundverhurten Stadt,
kein Tod von Gott besoldet...
DIE WEISSE FÜRSTIN *sieht plötzlich auf*
Tod? Was hat er da gesagt?
MONNA LARA
Ich bitte dich, befiehl ihm, daß er ginge.
Mir graut vor ihm, er redet solche Dinge –
DER BOTE
Ein fremder Tod, sag ich, den keiner kennt,
er aber ist bekannt mit einem jeden...
DIE WEISSE FÜRSTIN *sieht Monna Laras Angst*
Verzeih, ich ließ ihn immer weiter reden,
mir klangs von ferne wie ein Instrument.
*Sie gewahrt, daß Monna Lara in ihrer Erregung den
Brief, den sie immer noch hielt, ganz zerrissen hat.
Lächelnd*
Und sieh, mein Brief...
MONNA LARA *erschrickt.*
DIE WEISSE FÜRSTIN *ohne Vorwurf*
So leben deine Hände
für sich allein –
zum Boten
Mein guter Freund, es wohnt
im Meierhofe mancher Mann; der stände
Euch besser zu Gehör, daß es sich lohnt.
Hier sind nur Frauen und sind ungewohnt
so ernsthaften Gespräches. Ihr verschont
uns sicher gern, vor allem dieses Kind.
DER BOTE *tritt zurück und verneigt sich*
Verzeiht, erlauchte Frau, ich war wie blind,

daß ich nicht sah, wie es dem Fräulein schadet.
Es riß mich mit, wie schon die Worte sind.
Doch wenn Ihr mich zu einem noch begnadet,
so laßt michs sagen.
DIE WEISSE FÜRSTIN
Wenn es mild ist, sprecht.
DER BOTE
Ihr seid so unbewacht. Das ist nicht recht.
Der Park ist offen wie des Herrgotts Land,
und hier am Strande kann ein jeder gehen.
Da denk ich mir, verzeiht, es kann geschehen,
daß diese Hunde kommen; nah von hier
gehn sie schon um. Da sah ich ihrer vier
raubvogelhaft vor einem Haus gespenstern;
sie warten überall und dauern aus,
und winkt man ihnen furchtsam aus den Fenstern,
so kommen sie und holen aus dem Haus,
was Totes da ist: Kinder, Männer, Frauen, –
sie nehmen alles, ohne Unterschied.
Man sagt, daß sie auch nach den Kranken schauen;
doch wie sie schauen? Ja, weiß Gott, man sieht
nicht ihr Gesicht. Es geht ein kaltes Grauen
von ihnen aus. Ich könnte keinem trauen.
Das, was sie tun, mag ja barmherzig sein
und christlich gut: sie sorgen für die Toten
und tragen sie heraus, so ists geboten,
was aber tragen sie ins Haus hinein?
Und wenn sie draußen stehn im Feuerschein,
und wenn von ihren hohen Leichenhaufen
aus Rauch und Schauder sich die Flamme hebt,
dann gehn sie in dem Feuer aus und ein.

Es ist, als hätte, wer noch lebt,
  die Pflicht, sich von den Brüdern freizukaufen...
DIE WEISSE FÜRSTIN
  Das müßt Ihr tun, mein Freund; das Lösegeld
  will ich Euch morgen senden. Bleibt zur Nacht
  im Meierhofe, dort seid Ihr bewacht
  und könnt geruhig schlafen und der Welt
  erhalten bleiben. Geht in Gottes Namen.
DER BOTE
  Dank und Vergebung, sehr erlauchte Damen,
  für meine lästige Beredsamkeit.
  Es tut in dieser wunderlichen Zeit
  so gut, zu sprechen von der Dinge Lauf.
  Dank, und vergeßt nicht, stellet Wachen auf,
  besser ist besser; sie sind wie die Kletten
  und hängen sich an einen an und betten
  den Scheiterhaufen auf, so daß man denkt,
  es bliebe einem selber nicht geschenkt,
  darauf zu schlafen.
DIE WEISSE FÜRSTIN
  Nun, für diesmal mag
  Euch noch ein andres Bette wärmen. So.
  Nun, hoff ich, seid Ihr auch getrost und froh,
  und schlaft Euch Mut zu einem Heimkehrtag.
DER BOTE *verneigt sich tief und geht durch die Allee ab.*
MONNA LARA *die ganz reglos dagestanden hatte, bricht plötzlich in Weinen aus. Die Fürstin zieht sie neben sich auf die Bank, und sie legt ihr weinendes Haupt in den Arm der Schwester.*
DIE WEISSE FÜRSTIN
  Mein liebes Kind, bist du erregt? Du mußt

nicht bange sein; das ist Geschwätz, geschart
um feige Furcht, geringe Redensart –

MONNA LARA

Ich habe alles dieses nicht gewußt...
Nun kommt auf einmal alles über mich,
nun bricht es über mich herein, und ich,
ich ahne jetzt erst, daß das Leben droht.
Daß das nicht Leben war, das sanfte Sein,
das sich mir bot, –
wer lebt, ist traurig, hilflos und allein
mit sich, mit Sorge, Angst, Gefahr und Tod.

DIE WEISSE FÜRSTIN

Und wenn ers wäre, meine Freundin, sieh, –
wenn er es ist, wie ich es bin seit Jahren,
glaubst du, die Tage, welche trostlos waren,
dürften mir fehlen in der Melodie
der großen Freude, die ich heute trage?
Sie sagen: Tod, – doch hör, wenn ich es sage:
Tod – ist es dann nicht wie aus anderm Klang?
Nur ausgelöst, vereinzelt macht es bang.
Nimm sie im ganzen – alle, als das Deine
die vielen Worte, nimm sie in Gebrauch: –
nur wo sie alle bis ins Ungemeine
und Große wachsen, wächst das eine auch.

MONNA LARA

Doch nicht um Worte handelt sichs: sie sterben.
Sie sterben, viele. Jetzt und jetzt und jetzt.
Sie ringen noch, sie hoffen bis zuletzt;
noch wenn der Tod die Finger angesetzt,
um sie zu würgen, hoffen sie, gehetzt
von ihrer Angst.

*Monna Lara sieht ratlos um sich. Es entsteht eine Stille;
die Fürstin schüttelt leise das Haupt.*
MONNA LARA *horchend*
Und jetzt!
Sie wirft sich der Fürstin zu Füßen, flehend mit ringenden Händen
O laß uns helfen! Laß uns weiches Linnen
aus deinen Schränken nehmen für die Betten,
und was bereit war für die Wöchnerinnen
an Binden, Hemden, Salben, Amuletten.
Die dichten Tropfen und die leisen Öle,
die Elixiere für das trübe Blut –
o irgend etwas, das in ihrer Höhle
noch niemals war und das ein Wunder tut.
Warum geschieht kein Wunder? Daß ich wüßte,
mit welchem Wort ich Dich erreichen kann:
Maria! Warum rührst Du sie nicht an?
Wo ist Dein Mund, der Jesu Wunden küßte?
Ekelt es Dich? Und willst Du nicht geruhn,
ein Wunder an den Stinkenden zu tun, –
so tu's an mir: Gib Milch in meine Brüste,
daß ich sie tränke...
*Monna Lara hat sich knieend zurückgeworfen und hält
mit beiden Händen ihre Brüste hin, als wartete sie, daß
sie sich füllen sollten. So bleibt sie eine Weile, ihre Spannung steigert sich, bricht ab, und sie fällt vornüber der
Fürstin in den Schoß.*
DIE WEISSE FÜRSTIN *sie streicht der Knieenden sanft, beruhigend über das Haar und spricht, über sie geneigt,
leise, eindringlich*
Wir wollen das Unsrige zu dem Ihren tun. Wir wollen

die Falten in ihren weichen Lagern glätten, so daß sie es hätten wie die Kinder der Reichen. Wir wollen ihnen zureden wie Tieren, daß sie sich nicht scheuen, und selbst alle Scheu verlieren ihretwegen. Ich will mich zu denen legen, die frieren. Ich will die Stirnen der Sterbenden halten. Ich will die Alten reinigen, und ihnen die Bärte über die Decken breiten. Heiter will ich zu den Kindern hinüberschauen und die Frauen erleichtern, und ihre blauen Nägel und ihr Eiter soll mich nicht schrecken. Und ich will für die Toten sorgen –
Pause.
MONNA LARA *hebt das Haupt. Sie ist ganz ruhig, fast nüchtern.*
DIE WEISSE FÜRSTIN *über sie fortschauend, zögernd*
Von morgen an wird das mein Tagwerk sein –
und meiner langen Nächte Werk.
MONNA LARA
Von morgen?
DIE WEISSE FÜRSTIN
Von morgen, Schwester. Heute bin ich sein,
des Kommenden.
Wie seiner Väter Erbschaft
ihm zugefallen, reich für ihn allein.
Selbst mein Gemahl hat mich für ihn bewahrt;
mit seiner Wildheit übergroßem Jähzorn,
dem keiner wehren könnte, wenn er tobt,
hielt er in Bann der Andern Wort und Art:
der Edelleute, Dichter und des Herzogs.
Pause.
So blieb ich Braut. Dem Weitesten verlobt.

Monna Lara hat sich während der letzten Worte erhoben; sie steht steif und hilflos, fast puppenhaft vor der Fürstin und spricht mit seltsam tonloser Stimme.
MONNA LARA
Und dein Gemahl, der Fürst, lag nie bei dir?
Pause.
Die Fürstin aufs Meer hinausblickend.
DIE WEISSE FÜRSTIN
Er lag bei mir.
Sie erhebt sich; Monna Lara tritt scheu vor ihr zurück.
Wenn abends die Musik
ihn sänftigte, so daß er nichts verlangte,
so bot ich ihm mein Bett. Sein Auge dankte
mir lange. Seine harte Lippe schwieg.
So schlief er ein. Und mir war gar nicht bange.
Nachts saß ich manchmal auf und sah ihn an,
die scharfe Falte zwischen seinen Brauen,
und sah: jetzt träumte er von andern Frauen
(vielleicht von jener blonden Loredan,
die ihn so liebte) – träumte nicht von mir.
Da war ich frei. Da sah ich stundenlang
fort über ihn durch hohe Fensterbogen:
das Meer, wie Himmel, weit und ohne Wogen,
und etwas Klares, welches langsam sank;
was keiner sieht und sagt: Monduntergang.
Dann kam ein frühes Fischerboot gezogen
im Raum und lautlos wie der Mond. Das Ziehn
von diesen beiden schien mir so verwandt.
Mit einem senkte sich der Himmel näher,
und durch das andre ward die Weite weit.
Und ich war wach und frei und ohne Späher

und eingeweiht in diese Einsamkeit.
Mir war, als ginge dieses von mir aus,
was sich so traumhaft durch den Raum bewegte.
Ich streckte mich, und wenn mein Leib sich regte,
entstand ein Duft und duftete hinaus.
Und wie sich Blumen geben an den Raum,
daß jeder Lufthauch mit Geruch beladen
von ihnen fortgeht, – gab ich mich in Gnaden
meinem Geliebten in den Traum.
Mit diesen Stunden hielt ich ihn.
Pause.
Es gab
auch andre Stunden, da ich ihn verlor.
Wenn ich drin wachte und er stand davor,
vielleicht bereit, die Türe einzudrücken, –
dann war ich Grab: Stein unter meinem Rücken
und selber hart wie eine Steinfigur.
Wenn meine Züge einen Ausdruck hatten,
so war das nur der Ampel Schein und Schatten
auf einer inhaltlosen Meißelspur.
So lag ich, Bild von einer welche war,
auf meines Lagers breitem Sarkophage,
und die Sekunden gingen: Jahr und Jahr.
Und unter mir und in derselben Lage
lag meine Leiche welk in ihrem Haar.
Pause.
Monna Lara tritt zur Fürstin und umfaßt sie leise.
DIE WEISSE FÜRSTIN

Sieh, so ist Tod im Leben. Beides läuft
so durcheinander, wie in einem Teppich
die Fäden laufen; und daraus entsteht

für einen, der vorübergeht, ein Bild.
Wenn jemand stirbt, das nicht allein ist Tod.
Tod ist, wenn einer lebt und es nicht weiß.
Tod ist, wenn einer gar nicht sterben kann.
Vieles ist Tod; man kann es nicht begraben.
In uns ist täglich Sterben und Geburt,
und wir sind rücksichtslos wie die Natur,
die über beidem dauert, trauerlos
und ohne Anteil. Leid und Freude sind
nur Farben für den Fremden, der uns schaut.
Darum bedeutet es für uns so viel,
den Schauenden zu finden, ihn, der sieht,
der uns zusammenfaßt in seinem Schauen
und einfach sagt: ich sehe das und das,
wo andere nur raten oder lügen.

MONNA LARA
Ja, ja, das ists. Ein solcher muß es sein,
sonst wird das namenlose Bild zu schwer.
Kleine Pause.
Dir kommt er heut...
Kleine Pause.
Wie aber konntest du's
so lange tragen? Ich vermags kaum mehr.
Wenn ich mir denke, daß ich noch ein Jahr
herumgehn soll mit unerklärtem Blut,
unausgeruht, – von meinem eignen Haar
hochmütig übersehen wie ein Kind,
allein und blind inmitten meiner Brände,
sogar den Hunden neu und wie versagt,
mir selbst so fremd, daß mich die eignen Hände
anrühren wie die Hände einer Magd...:

wenn ich ein Jahr noch also leben soll,
so werf ich mich nach diesem einen Jahre
einem Bedienten in den Weg wie toll
und fleh ihn an, daß er mir das erspare.
Wie trugst du das?
DIE WEISSE FÜRSTIN
Mein Blut war übervoll.
Oft rief es laut, daß ich davon erwachte,
mich weinend fand und in die Stille lachte
und in mein Kissen biß, bis es zerriß.
In einer solchen Nacht – ich weiß noch – schmolz
von seines Kreuzes Ebenholz
mein Christus los;
so groß war meine Glut: ...
die Arme offen lag er über mir.
MONNA LARA
Und dennoch war so tiefe Kraft in dir.
DIE WEISSE FÜRSTIN
Das war nicht Kraft. Geiz war es, Habsucht war es,
womit ich alle Gluten jedes Jahres
aufsparte für den späten Hochzeitstag.
Nun ist er da. Mit tausendfachem Schlag
schlägt mir das Herz. Der Wurzeln letzte Süße
ist in mich eingegangen; ich bin reif.
Mein Haupt ist schön, und unter meine leichten Füße
schiebt sich die Erde wie ein Wolkenstreif.

Und morgen darf ich altern.
MONNA LARA
Du bist jung –

DIE WEISSE FÜRSTIN *zärtlich lächelnd*
  Jugend ist nur Erinnerung
  an einen, der noch nicht kam.
  Sie faßt die Schwester mit beiden Händen an den Schultern.
  Auch du wirst sparen für den Bräutigam.
  Denn deine Ungeduld ist Übergang.
  Lang ist das Leben.
  Pause.
MONNA LARA *bewundernd*
  Glanz geht von dir aus
  und eine Stärke wie von Königinnen.
DIE WEISSE FÜRSTIN *sieht aufgerichtet zurück nach dem Palast*
  Die Sonne sinkt und spiegelt sich im Haus.
  Nun will ich warten, und dann will ich winken.
MONNA LARA
  Winktest du nicht?
DIE WEISSE FÜRSTIN
  So hieße das: uns droht
  Gefahr.
MONNA LARA *mit geschlossenen Augen, traumhaft schmerzlich*
  Er führe wie das frühe Fischerboot
  vorüber von dem rechten Rand zum linken.
  Sie reißt wie in Angst die Augen auf
  Aber du winkst?!
DIE WEISSE FÜRSTIN *glücklich*
  Wenn dort das Meer verloht,
  so wink ich aufrecht in das Abendrot.
  Das Haus ist leer –

MONNA LARA
 Still! Waren das nicht Schritte?
DIE WEISSE FÜRSTIN *horcht einen Augenblick*
 Nein; komm zur Terrasse. Man sieht von der Mitte
 so weit ins Meer.
 Sie gehen, sich umfaßt haltend, langsam durch die Pla-
 tanen-Allee. Das Meer atmet langsamer und schwerer.
 Als die Fürstin einmal stehen bleibt und zurücksieht,
 sagt
MONNA LARA *wie einen Kindervers*
 Nun kannst du nicht gehen und Linnen verschenken
 und Öl und Salbe und Spezerei,
 mußt an dein eigenes Bette denken,
 daß es bereitet und selig sei.
DIE WEISSE FÜRSTIN *nickt ernsthaft im Weitergehen. –*
 Ein Stück weiter faßt Monna Lara die Fürstin an der
 Hand. Sie bleiben beide stehen, die Fürstin sieht wieder
 nach dem Meer.
MONNA LARA
 Glaubst du, kann ich dir dein Lager rüsten
 und das Becken in das du dein Antlitz tauchst?
 Mir ist als ob meine Hände wüßten
 Alles was du heute brauchst.
 Die Fürstin nickt, und sie gehen wieder ein Stück wei-
 ter; so kommen sie auf die Stufen der Terrasse und blei-
 ben wieder stehen.
MONNA LARA *kniet plötzlich nieder*
 Ich will dich betten. Ich will dir dienen.
 Alles Meine ist zu dir treu –
 Die weiße Fürstin hebt sie leise empor, faßt ihr Gesicht
 mit beiden Händen und sieht hinein.

DIE WEISSE FÜRSTIN
Deine Augen sind tief und neu.
Ich sehe mein ganzes Glück in ihnen.
Sie küßt sie auf den Mund. Monna Lara macht sich schnell los und eilt ins Haus hinein.
Die Fürstin schreitet jetzt die letzten Stufen empor, wendet sich und sieht in großem Erwarten auf das Meer hinaus. –
Nach einer Weile erscheint Monna Lara, einen silbernen Spiegel tragend, den sie, indem sie niederkniet, der Fürstin vorhält.
Langsam ordnet die Fürstin ihr schweres Haar.
MONNA LARA *unter dem Spiegel, leise*
Jetzt ist er in mir wiedergekommen.
Er hat mich einmal an der Hand genommen.
Jetzt fühl ich es wieder in meiner Hand.
Sieh, so hab ich ihn doch gekannt...
Die Fürstin lächelt in den Spiegel hinein, zerstreut hinhörend. Gleich darauf richtet sie sich, ausblickend, auf.
MONNA LARA
Jetzt geht die Sonne ins Meer.
Sie eilt ins Haus zurück.
Pause.

Die weiße Fürstin steht jetzt allein, aufrecht und in gespanntem Schauen, auf der Terrasse. Die Villa hinter ihr wird immer strahlender (als leuchtete ein großes Fest darin) vom Widerschein der sinkenden Sonne. Da erkennt die Fürstin, nach rechts blickend, etwas Fernes. Sie langt einmal flüchtig nach der Gürteltasche, wie um zum Winken bereit zu sein. Dann wartet sie. Endlich hört man Ruderschläge, die näher kommen. Während die Fürstin der Bewegung draußen mit ihrem ganzen Wesen folgt, ist den Strand entlang von rechts (vom Zuschauer aus gemeint) ein Frater der Misericordia, die schwarze Maske vor dem Gesicht, aufgetreten und bis an den Anfang der Allee gegangen. Ihm folgt ein zweiter. Sie sehen beide nach dem Haus und flüstern miteinander. Jetzt, da die Fürstin mit einer schnellen Gebärde nach ihrem Tuche greift, rühren sich beide, und der erste Mönch macht einige rasche Schritte vorwärts. Dann zögert er, wendet sich nach seinem Gefährten zurück, steht still. Die weiße Fürstin hat ihn bemerkt. Von diesem Augenblick an sieht sie nur ihn; ihre Gestalt erstarrt in Schrecken, sie verliert das Meer aus den Augen, aus dem Bewußtsein, während jetzt ganz laut die Ruderschläge von dort, langsam, zögernd, vernehmbar sind. Die Fürstin macht eine große Anstrengung, den entsetzlichen Bann zu brechen und dennoch zu winken. Eine Weile dauert dieser Kampf. Bei einer ihrer schweren, mühsamen Bewegungen macht der zweite Bruder ein paar Schritte, so daß er jetzt fast neben dem ersten in der Allee steht. – Die Fürstin rührt sich nicht mehr. Die Fronte der Villa beginnt zu verlöschen. Das Boot muß vorbeigefahren sein; leiser, ferner und ferner verliert sich der Ruderschlag in dem schweren Branden des fast nächtlichen Meeres.

Da, als man ihn eben noch unterscheiden kann, wird oben im Haus der Vorhang von einem der hohen Bogenfenster fortgerissen, und etwas Helles, Schlankes erscheint, fast wie die Figur eines Kindes, und winkt. Winkt erst rufend; hält einen Augenblick ein und winkt dann anders: schwer und langsam, in zögernden Zügen, wie man zum Abschied winkt.

Vorhang

Nachwort

Zwei Geschichten von Liebe und Tod um 1900

Rilkes lyrische Erzählung *Die Weise von Liebe und Tod des Cornets Christoph Rilke* und sein lyrisches Drama *Die weiße Fürstin* sind nicht nur etwa gleichzeitig entstanden, überarbeitet und veröffentlicht worden, sie sind, weit über die bloß chronologische Nähe hinaus, auch Kinder einer Zeit: Beide stellen Initiationsgeschichten vor, die von einem Weg ins Leben erzählen, der ein besonders schwieriger ist. Das hat Gründe, die weniger in den Geschichten selbst liegen, als in der Zeit ihrer Entstehung.

Die Vielfältigkeit und Widersprüchlichkeit des vorletzten Fin de siècle hat Robert Musil (1880-1942) im berühmten Kapitel I,15 seines Romans *Der Mann ohne Eigenschaften* (1. Buch: 1930) so charakterisiert: »Es wurde der Übermensch geliebt, und es wurde der Untermensch geliebt; es wurden die Gesundheit und die Sonne angebetet, und es wurde die Zärtlichkeit brustkranker Mädchen angebetet; man begeisterte sich für das Heldenglaubensbekenntnis und für das soziale Allemannsglaubensbekenntnis; man war gläubig und skeptisch, naturalistisch und preziös, robust und morbid; man träumte von alten Schloßalleen, herbstlichen Gärten, gläsernen Weihern, Edelsteinen, Haschisch, Krankheit, Dämonien, aber auch von Prärien, gewaltigen Horizonten, von Schmiede- und Walzwerken, nackten Kämpfern, Aufständen der Arbeitssklaven, menschlichen Urpaaren und Zertrümmerung der Gesellschaft. Dies waren freilich Widersprüche und höchst verschiedene Schlachtrufe, aber sie hatten einen gemeinsamen Atem; würde man jene Zeit zerlegt haben, so würde ein Unsinn herausgekommen sein wie ein eckiger Kreis, der aus hölzernem Eisen bestehen will, aber in Wirklichkeit war alles zu einem schimmernden Sinn verschmolzen«.

So mag es in der Tat gewesen sein. Betrachtet man jedoch verschiedene Lebenswege, die durch dieses Labyrinth führen, so lässt sich so etwas wie eine mindestens idealtypische Abfolge erahnen. Eine solche imaginäre Biographie eines in den 70er Jahren geborenen ›Jahrhundertwendlers‹ könnte etwa so aussehen:

In der Ablösung von der Wertewelt des Elternhauses und der Schule ist er zunächst Naturalist – wohl keiner von der harten, wissenschaftsgläubigen Sorte, die ist inzwischen aus der Mode gekommen. Aber das soziale Pathos des Naturalismus empfindet er schon noch, hat jedenfalls großes Mitgefühl für Arbeiter, Dirnen und das ›einfache Volk‹. Dass die Familie ein Unglück ist (besonders natürlich die eigene), weiß er und ist erfahren in der spätnaturalistischen Kunst der intensiven Seelenzergliederung. Von Religion hält er nicht viel, und er hat gelegentlich Alpträume von Inzest und verdorbenem Blut. Ernst Haeckels *Lebensrätsel* kennt er gut und parliert flüssig über den darwinistischen Kampf ums Dasein. Er liest bevorzugt skandinavische Schriftsteller, besonders Henrik Ibsen und Jens Peter Jacobsen

Wenig später begegnen wir ihm als Décadent und Ästhetizisten. Er ist jetzt sehr nervös und sehr, sehr müde. Alles Natürliche langweilt ihn, seine Seele ist zerrissen, nicht ohne Wollust vertieft er sich in seine inneren Abgründe. Von sozialer Verpflichtung hält er nichts mehr, gibt sich streng a-moralisch, kleidet sich à la mode, liebt schwärmerisch und am liebsten aus der Distanz, wobei er die knabenhaft schlanke ›femme fragile‹ der fatalen bei weitem vorzieht. Von Religion hält er noch immer wenig, schätzt aber durchaus eine vage Mystik und exotisch-esoterische Geheimlehren. Er ist Schopenhaueriner, hört Wagner, liest Swinburne und Oscar Wilde oder auch D'Annunzio und liebt die Bilder der englischen Präraffaeliten.

Irgendwann in den späten 90ern gibt er sich einen Ruck und vertauscht seinen Schopenhauer gegen Nietzsches *Zarathustra*. Er wohnt jetzt auf dem Lande, geht gerne barfuß durch sonnenüberflutete oder taunasse Sommerwiesen, badet nach Möglichkeit nackt in Flüssen und Meeren und ernährt sich vegetarisch. Er will viel und energisch und lebt gern intensiv, liebt gesunde Frauen in Reformkleidung mit langem wehendem Haar und weiblichen Formen. Seine Hausreligion ist jetzt der Pantheismus; wenn es einen Gott gibt, dann wohnt er nicht in der Transzendenz, sondern in den Wellen und dem Wind. Er hat ›Die Jugend‹ abonniert, kann lange Passagen aus dem Liebesepos *Zwei Menschen* des Lyrikers Richard Dehmel auswendig und schwärmt von der Ausdruckstänzerin Isadora Duncan.

So – oder doch so ähnlich – war es häufig. Und auch die Entwicklung des jungen Rilke hat mit dieser idealtypischen Biographie einige Ähnlichkeiten. Nicht umsonst thematisieren seine frühen Werke immer wieder die Schwellensituation an der Grenze zum Leben, zu seiner Annahme und Bejahung, die immer auch ein Ja zum Tod mit einschließen muß, um wirklich gültig zu sein. Auf ganz unterschiedliche Weise – und mit unterschiedlich radikalen Modifikationen in den Überarbeitungen der Erstfassungen – erleben auch der Cornet und Monna Lara eine solche Initiationsgeschichte in die Welt jenseits von Lebensangst und Décadence.

Die Weise von Liebe und Tod des Cornets Christoph Rilke

Rilke wird sich knapp 15 Jahre später an die Entstehung seines populärsten Werkes so erinnern:

»Ich gedachte der einen wehenden Mondnacht, da ichs geschrieben hatte (– vor ... fünfzehn Jahren –) mir war, als hätt ich damals den kürzesten Weg durch mein Herz gewußt ‹...› das kleine Jugendbildnis meines Vaters mochte dazu auf mich gewirkt haben, ein Bild wohl auch seines jungverstorbenen Bruders, den ich nie gekannt hatte als auf dem kleinen Ölgemälde, das ihn zeigte in seiner schlanken Ulanen-Uniform kurz vor seinem Tode (er starb, glaub ich, an einer Lungen-Entzündung, verursacht durch einen Sturz vom Pferde in ein kaltes reißendes Gewässer). Das mochte mirs eingegeben haben, daß ich die paar Zeilen über den Cornet, wie sie, kärglich genug, aus Archiv-Papieren ausgezogen, vor mir lagen, wie eine Rakete behandeln konnte, die an einem Funken Herzglut auffuhr, und in die geräumige Nacht meines Lebens-Vorgefühls ihre kühne, unaufhaltsame Kurve warf. – Damals, da ich leichtsinnig in einer träumerisch-schaffenden Nacht (denn Hervorbringung war da noch nicht so unabsehbar weit zu verantworten –) erfuhr, erriet, daß es *viel* sei, warm aus der Kindheit heraus, durch einen Moment Mannesthums, mit heißen Wangen in den Tod zu jagen –: Schwester, da ahnte ich noch nicht, wie ich später die Jung-Sterbenden bewundern würde« (An Benvenuta, 16. 2. 1914).

Es gibt eine ganze Reihe solcher Erinnerungsberichte,

die, bei allen Unterschieden in den Details, darin übereinstimmen, daß das Werk in einer Nacht »in einem Zug hingeschrieben« worden sei (An Hermann Pongs, 17. 8. 1924). Es war eine Nacht im Herbst des Jahres 1899 – also in jener so überaus ertragreichen Schaffensphase, in der Rilke in Berlin-Schmargendorf unter anderem auch, in nur wenigen Wochen, den ersten Teil des *Stunden-Buches* und die *Geschichten vom lieben Gott* niederschrieb.

Die Erstfassung des *Cornet* blieb zu Rilkes Lebzeiten unveröffentlicht. Und auch die Zweitfassung – entstanden im August 1904 in Borgeby Gård in Schweden – erschien nur an entlegener Stelle, nämlich in der Prager Zeitschrift ›Deutsche Arbeit. Monatsschrift für das geistige Leben der Deutschen in Böhmen‹ (Oktober 1904). Seinen Ruhm und seine enorme Breitenwirkung verdankt der *Cornet* erst der im ersten Halbjahr 1906 in Paris geschriebenen Drittfassung – und auch hier erst der zweiten Ausgabe: Während die erste Ende 1906 im Verlag Axel Juncker (Berlin) als bibliophil gestaltete Liebhaberausgabe in nur 300 Exemplaren erschien und weitgehend unbemerkt blieb, wurde die Ausgabe vom Juli 1912 (deren Text hier nachgedruckt ist) sofort zum Bestseller.

Der ›Cornet‹ als Kultbuch

1912 war im Insel-Verlag eine neue Reihe konzipiert worden: die *Insel-Bücherei*. Eine Vorankündigung im ›Börsenblatt‹ vom 23. Mai 1912 nennt als Autoren der ersten Bände: »Rilke, Hofmannsthal, Verhaeren, van de Velde; Flaubert, Jens Peter Jacobsen; Goethe; Bürger (Münchhausen), Cervantes; Bismarck, Friedrich d. Große, Plato«, eine gute Mischung aus Bewährtem und Aktuellem also – und sicherlich nicht leichte, sondern durchaus anspruchsvolle Lesekost. Die eigentliche Sensation war jedoch der Preis: 50 Pfennige nur sollten die Bändchen kosten!

In dieser Reihe nun erschien der *Cornet* als Band 1 in einer Auflage von 10.000 Exemplaren (was dem Autor 400 Mark einbrachte). Damit begann ein Bestsellererfolg, den nicht viele Lyriker erreicht haben dürften. In nur drei Wochen waren schon 8.000 Bücher verkauft. Noch im gleichen Jahr wurden weitere 20.000 nachgedruckt, im März 1914 stand die Auflage beim 40. Tausend, 1918 beim 160., 1920 beim 200., 1930 beim 400., 1934 beim 500., 1938 beim 600., 1949 beim 790., 1959 war die Million erreicht. Danach ging es bescheidener voran: 1966 wurde das 1062. Tausend aufgelegt, 1982 das 1114., 1995 das 1134.; 2000 stehen wir bei 1.141 tausend gedruckten Exemplaren (wozu Reprints, Drucke in Werkausgaben und Anthologien etc. noch zu addieren wären). Daneben gab es zahllose Übersetzungen, Illustrationen und Vertonungen, eine mehr als mäßige Verfilmung (1956; Regie: Walter Reisch) und schließlich auch noch eine Oper, komponiert von Siegfried Matthus.

Was begründete diese eigenartig intensive Wirkung, was machte den *Cornet* (wie wir heute sagen würden) zum Kultbuch? Sicher mögen die zwei Weltkriege der Dichtung – fälschlich, wie Rilke meinte – eine besondere Aktualität verschafft haben, und es wurden während des Zweiten Weltkriegs in der Tat auch eine Reihe zusätzlicher Feldpostausgaben gedruckt – den *Cornet* im Tornister hat es also wirklich gegeben. Die Verkaufszahlen weisen jedoch aus, daß die Kriegszeiten beim Bestseller-Erfolg des *Cornet* eine eher bescheidene Rolle spielen, dessen Gründe also von viel allgemeinerer Natur sind.

Vor allem die Kombination dreier Qualitäten dürfte geeignet sein, ein Buch zum Kultbuch zu machen: (1) Repräsentativität: Der Leser muss sich im Text wiedererkennen können, seine Verhaltensmuster, Sehnsüchte und Wünsche wiederfinden. Das kann erreicht werden, indem sich der Autor unmittelbar an eine Epoche und ihre Mentalität oder gar an die einer bestimmten Personengruppe anschließt, aber auch – und zwar mit viel größerer Breitenwirkung – über Figuren und Situationen von hoher, fast archetypischer Allgemeinheit. (2) Idealisierung: Neben die Wiedererkennbarkeit muss eine mindestens graduelle Überhöhung treten, die die literarischen Figuren nicht nur zu Repräsentanten, sondern zu Idealen und Leitbildern des Lesers macht. (3) Identifikationsstiftung: Die vom Inhaltlichen her nahegelegte Identifikation muß durch formale Mittel unterstützt werden. Alles, was Distanz erzeugen könnte – etwa die Betonung des Kunstcharakters und der Fiktionalität des Textes oder ein reflektierender und räsonierender Erzähler –, ist zu vermeiden. Der Leser soll emotional und imaginativ involviert werden. Letzteres gelingt am besten, wenn man seine Phantasie durch imaginative Leerstellen aktiviert, so daß er sich in den Textraum hineinträumen, ihn mit eigenen Projektionen ausfüllen kann.

Über all diese Qualitäten verfügt der *Cornet* in hohem Maße: Er erzählt eine Initiationsgeschichte, in der ein junger Mann sein Elternhaus verlässt, die Welt kennenlernt, eine erste Liebe erfährt und seinen Platz in der gesellschaftlichen Ordnung findet. Diese fast archetypisch allgemeine Fabel, Grundgerüst zahlloser Erzählungen und Romane, versieht der *Cornet* mit einem Akzent, der ›modern‹ ist, da er die Einordnung in bestehende Ordnungen und Traditionen in den Hintergrund treten lässt: Der *Cornet* lebt ein kurzes und intensives – Nietzsche hätte gesagt: ein »gefährliches« – Leben. Alle wesentlichen Erfahrungen sind in wenige Wochen gedrängt, Langeweile und Zwänge des Alltags bleiben dem Helden erspart. Zeittypische Attribute dieses Lebensweges sind die »Müdigkeit« und »Traurigkeit« des Anfangs, verstärkt durch Herbst- und Abendmotivik, die feindliche »Fremdheit«, die jenseits der vertrauten Kindheit droht, und die schlussendliche Verwandlung dieser Fremde in ein »Fest« des »schönen« Lebens und Sterbens.

Entscheidend für die enorme Breitenwirkung des *Cornet* dürfte jedoch sein, dass sich in ihm das neue Ideal eines gefährlich-intensiven Lebens scheinbar problemlos mit dem traditionellen Muster der Initiationsgeschichte verbindet, der Text also *zugleich* als abweichend und als konformistisch gelesen werden kann. Der Cornet scheint sich als für sein Vaterland sterbender Held, als guter Deutscher (verglichen etwa mit dem, einem gängigen Nationalklischee nach, recht frühzeitig liebeserfahrenen Franzosen), als seine Mutter verehrender Sohn und, nicht zuletzt, als guter Christ, der noch in der Liebesnacht sein Abendgebet spricht, ganz in die bestehenden Ordnungen einzufügen; bruchlos verschränken sich die Motive von Fahne, Geliebter, Mutter und Madonna. Freilich ist damit auch die historische Grenze des Bestsellererfolgs markiert: Je mehr Nonkonformismus zur herrschenden Norm wird, desto schwerer dürfte es der *Cornet* bei seinen Lesern haben.

Ähnlich anachronistisch muten heute die Leitbilder an, nach denen der *Cornet* stilisiert ist: als Aristokrat, als jugendlich-männlicher Held in einer noch heroischen Vergangenheit, nicht zuletzt auch als Figur mit einer fast sakralen Aura, der »nackt wie ein Heiliger« vor der Geliebten steht. Diese Leitbilder sind sicher nicht mehr die unseren – oder, genauer vielleicht: Sie sind in den Bereich des Trivialen abgewandert, gehören also zu den Träumen, die wir uns heute nicht mehr gestatten, wenn sie auch, irgendwo im kollektiven Gedächtnis der Sehnsüchte, noch immer präsent sein dürften.

Während so die Qualitäten der Repräsentativität und der Idealisierung die Grenze ihrer historischen Geltung überschritten haben mögen, bleibt die Wirkung der formalen Mittel beachtlich. Der *Cornet* ist auch in seiner Form der *Weißen Fürstin* nahe verwandt. Dem lyrischen Drama entspricht hier die lyrische – wie Rilke später abfällig schreiben wird: »versinfizierte« (An A. Holitscher, 20. 6. 1907) – Prosa, die über alle Merkmale lyrischer Rede verfügt: intensive Klangeffekte wie Lautmalerei, Alliteration, Assonanz und Reim, elliptische Verkürzungen, anaphorische Reihungen, dichte Bildlichkeit und Symbolik, Rhythmisierung bis hin zur Adaption metrischer Muster; ja an einer Stelle werden sogar Satzteile auf einzelne, ungefüllte Zeilen verteilt – eine traditionell nur in der Lyrik mögliche Schreibweise. Der Ästhetik des Jugendstils folgend, hat Rilke die ganze Handlung in eine rhythmische »Gemütslinie« umgesetzt, eine gestische Kurve mit Beschleunigungen und Ritardandos, der auf inhaltlicher Ebene das leitmotivische »Reiten« entspricht. Zu Recht sah der seinem Jugendwerk bald sehr kritisch gegenüberstehende Autor gerade darin eine wesentlich Qualität des *Cornet*: »was, so scheint mir, beinahe den einzigen Wert dieser Jugenddichtung ausmacht: das ist ihr innerster Rhythmus, der Rhythmus des Blutes, der sie durchpulst, sie trägt, sie fortreißt von Anfang bis Ende, ohne einen Augenblick des Zauderns oder der Unsicherheit« (An André Gide, 18. 2. 1914; im Original frz.).

Der durchgängigen Lyrisierung korrespondiert ein Zurücktreten des epischen Elements: Der *Cornet* ist aus weitgehend unverbundenen Kleinszenen zusammengesetzt, aus Momentaufnahmen, in denen alles Äußere skizzen- und lückenhaft bleibt. Landschaften und Interieurs werden zu Erlebnisräumen voller Anthropomorphismen und Personifizierungen (vgl. etwa: »Fremde Hütten hocken durstig an versumpften Brunnen«). Der Held durchreitet eine bei aller Fremdheit doch vertraute, da ganz und gar innerliche Welt, eine Seelenwelt, in der es zwischen Innen und Außen keine Grenze gibt: Ein Blütenblatt, das sich der *Cornet* auf die Brust legt, »treibt auf und ab auf den Wellen seines Herzens«.

All das sind gute Gründe, den *Cornet* der Lyrik zuzurechnen – als einen Zyklus von Prosagedichten, von lyrischen Prosaskizzen (worauf auch die Durchnummerierung der Abschnitte in den ersten Fassungen hindeutete), wie sie in der Literatur der Jahrhundertwende weit verbreitet waren.

Zwar nicht lyrikspezifisch, aber auf ähnliche Weise

zur unmittelbaren Identifikation einladend ist auch die Erzählhaltung des *Cornet*, die man in literaturwissenschaftlicher Terminologie als weitgehend ›personal‹ bezeichnen würde: Der Er-Erzähler tritt als Vermittlungsfigur immer wieder bis zum Verschwinden zurück, da er ganz die Seh- und Erlebensweise des Helden annimmt; nur was dieser sieht, weiß und fühlt, ist dargestellt und benannt. So wird etwa die Madonna am Wegrand zunächst nur als »etwas Schlankes, Dunkles«, »eine einsame Säule, halbverfallen« beschrieben und erst dann begrifflich identifiziert, als sie der *Cornet* selbst erkennt, wird das »Heer« erst nachträglich aus den unmittelbar durch den Helden wahrgenommenen Einzelbildern zusammengesetzt, der nächtliche »Brand« erst nach den primäreren Eindrücken der Helligkeit und des Lärms benannt. Das zieht den Leser ganz in die Erlebnisperspektive des Helden hinein, lässt unmittelbare Vergegenwärtigung an die Stelle distanzierter erzählerischer Vermittlung treten. Am stärksten ist dieser Effekt dort, wo der Erzähler sogar, bauchrednerhaft, mit der Stimme des Helden spricht. Ein Beispiel für solche ›erlebte Rede‹ findet sich etwa in der folgenden Passage: »Aber da schreit es ihn an.| Schreit, schreit,| zerreißt ihm den Traum.| Das ist keine Eule. Barmherzigkeit:| der einzige Baum| schreit ihn an:| Mann!« Durchgängig verschränken sich hier Erzähler- und Figurenperspektive, in der mittleren der sieben Zeilen sind jedoch auch noch Erzähler- und Figurenrede identisch (ohne dass die Figurenrede, wie sonst, durch Anführungszeichen und Sprecherbenennung abgegrenzt wird).

Zur unmittelbaren, suggestiven Wirkung des Textes

trägt schließlich auch seine durchgängige Symbolik bei, die auf einfachen, weitestgehend topischen Motiven basiert (etwa: Licht, Abend, Nacht, Herbst, Feuer, Hitze, Rose, die Farben grün, schwarz, weiß, silbern, rot, purpur) – und eben darum so eingängig ist.

Kultbücher sind zeitgebunden; wer ästhetisch sensibel ist, mag die vielfältige formale Sogwirkung des Textes heute noch spüren, seine Ideale und Idole sind uns dagegen ziemlich fremd geworden. Gerade diese Distanz mag uns jedoch helfen zu erkennen, daß der *Cornet* nicht so affirmativ gelesen werden muss, wie das seine früheren Leser wohl taten. Was auf den ersten Blick wie Konformismus wirkt, ist eher eine geschickte Mimikry, die sich etablierte Leitbilder so aneignet, dass ihr traditioneller Sinn subvertiert wird.

So ist der Heldentod des *Cornet*s nichts anderes als ein radikaler Akt der Selbstverwirklichung, wird christliche Metaphorik zur Feier eines ganz und gar ›heidnischen‹ Lebensfestes profaniert, das kein Jenseits kennt, lösen sich die Nationalismen des Textes in einer nationalitätenübergreifenden Bruderschaft des Allgemein-Menschlichen auf. Und selbst die politisch zweifellos nicht korrekte Benennung der Feinde als »türkische« »heidnische Hunde« bleibt strikt an die Denkwelt des noch unerfahrenen Helden gebunden, der sie in dem Augenblick korrigiert, als er in den Feinden nichts anderes mehr sieht als eine elementare Lebensgewalt. Auf bemerkenswerte Weise verschränken sich hier die Stärken und Schwächen von Rilkes Weltbild: Wer das Gesellschaftlich-Historische als Eigensphäre nicht anerkennt, kann nicht deren

Kategorisierungen verfallen, zu denen eben auch das Nationale gehört – wie Rilke in *Da war nicht Krieg gemeint* (einem der Widmungsgedichte zum *Cornet*) schreibt: »Kaum Schicksal ‹also historisch-gesellschaftliche Realität› war gemeint,| nur Jugend, Andrang, Ansturm, reiner Trieb| und Untergang der glüht und sich verneint«.

Auf ähnliche Weise wird schließlich auch das Leitbild des ›männlichen‹ Heldentums subvertiert: Anders als im ›eisernen‹ General Sporck, dem Idealbild des harten Mannes, verbinden sich im träumerischen Heldentum des *Cornet*s durchaus männliche und weibliche Züge. Davon zeugt auch die enge Verknüpfung von Mutter und Geliebter, zu deren Deutung man wohl nicht gleich den Freudschen Ödipuskomplex bemühen muss. Will man unbedingt psychologisieren, so wird man in den zahlreichen Idealbildern des Mütterlichen in Rilkes Werk eher Gegenbilder zur wirklichen Mutter sehen und sich durch die Verbindung von Geliebter und Mutter am ehesten noch an die glückliche Zeit mit Lou Andreas-Salomé (1861-1937) erinnert fühlen, in der der junge Rilke eine Liebe erfuhr, die sexuelle Lust und die Geborgenheit äußerster Intimität in sich vereinigte. Wichtiger noch ist, dass der Text dem Helden zwar ein schönes Liebesfest beschert, die andere, dunkle Seite der Sexualität aber in der Begegnung mit der gefesselten (und, wie man annehmen muss, vergewaltigten) Frau mit aller Drastik dargestellt ist. So wie auch, ganz entsprechend, dem festlichen Tod des Schlusses der Anblick des »erschlagenen Bauern« vorangeht, in dessen offenen Augen sich »kein Himmel« spiegelt. Solche Bilder des nicht mehr schönen Lebens werden in Rilkes Frühwerk zwar noch marginalisiert, sind aber doch schon präsent. In der Schilderung des Pesttodes in der zweiten Fassung der *Weißen Fürstin* werden sie dann, der Ästhetik des mittleren Werkes entsprechend, mit allem Mut zur Hässlichkeit entfaltet werden.

Die drei Fassungen

Anders als die *Weiße Fürstin* erwies sich der *Cornet* gegen Umarbeitungsversuche als weitgehend resistent. Die Veränderungen von der ersten zur zweiten Fassung bleiben weitgehend marginal – meist geht es nur um kleinere stilistische und rhythmische Verbesserungen und um einen rhythmisch funktionaleren Einsatz von Zeilen und Absatzgrenzen. Nur alle Abschnitte ab der Liebesnacht im Turmzimmer und die Begegnung mit der gefesselten Frau wurden stark umgearbeitet. In der ersten Fassung wurde diese noch so geschildert:

»Die Compagnie liegt jenseits der Raab. Der von Langenau reitet hin, allein, allein.| Heißer Abend. Glanz bricht über das Land herein, von allen Seiten zugleich. Die Heide fängt Feuer, als ob sie plötzlich hundert brennende Hände nach dem Himmel streckte. Und der Mond wird rasch reif in dieser Glut. Er rollt aufwärts, ganz groß, ganz roth.| Der von Langenau träumt. Trab, trab.| Es ruft ihn ein Baum.| Ruft, wie wund. Trab, trab.| Ruft. Da wacht er auf und erschrickt: Halt!| Es ruft ihn ein Baum.| Er reitet heran: Ist ein braunes Mädchen daran gebunden, ruft: ›Mach mich los!‹ Ist ganz nackt das braune Mädchen.| Und ruft: ›Mach mich los!‹ Und hat die Nacht in den Augen, das braune Mädchen und den

Abend im Nacken, wie einen Mantel.| Heftig durchhaut er die Schnüre, die an den Füßen zuerst, dann die an den Handgelenken, die warm sind vom ungeduldigen Blut. Und zum Schluß erlöst er die Brust. Und fühlt über seine Finger das erste Aufathmen schlagen, wie eine landende Welle. Und zittert.| Und sitzt schon zu Roß.| Und jagt in die Nacht, allein. Blutige Schnüre fest in der Faust.«

In seiner Veränderung des Schlußteils der Erzählung intensiviert Rilke vor allem die personale Erzählhaltung, bindet den Text also stärker an die Erlebnisperspektive der Figuren. Außerdem versucht er, die »Gemütslinie« des Endes, den atemlos überstürzten Aufbruch und das Ritardando der Todesszene konsequenter herauszuarbeiten.

Zwischen der zweiten und der dritten Fassung gibt es dann über weite Strecken kaum Unterschiede. Nur drei Passagen hat Rilke zur Gänze umgestaltet: (1) Die vorangestellte Notiz wird jetzt, vermutlich nach Konsultation des Originaldokuments, weitgehend dem Aktenauszug angeglichen, den sich Rilkes Onkel Jarislav hatte anfertigen lassen, um die adelige Abkunft der Familie nachzuweisen; dieser Auszug lautete:

»Unterm 20. Novbr. 1662 wurde Otto Rülke mit seinem Antheile an seines verstorbenen Vaters Dietrich Gute Linda beliehen, seinem außer Landes befindlichen Bruder Christoph aber wurde ein Jahr Indult erteilt.| Den 24. Novbr. 1663 wurde Otto Rülcke ‹sic!› zu Linda mit seines in Ungarn verstorbenen Bruders Christoph hinterlassenem Antheile am Gute Linda beliehen; doch mußte er einen Revers (d. d. Linda, den 16. Nov. 1663) ausstellen, nach welchem die Lehnsreichung im Fall sein Bruder

Christoph (der nach dem beigebrachten Todtenschein als Cornet in der Compagnie des Freiherrn von Pirowano des Kaiserl. Oester. Heysterschen Regiments zu Roß zu Zathmar in Oberungarn am 20. Novbr. 1660 verstorben war) zurückkehre, null und nichtig sein sollte.«

(2) Noch einmal weitgehend umgeschrieben hat Rilke die Befreiung der gefesselten Frau: Prägte sie in den ersten beiden Fassungen noch die schwüle Erotik einer gängigen Männerphantasie, so erscheint sie nun als drastische Darstellung des nicht mehr schönen Lebens – und damit als der einzige Abschnitt im *Cornet*, der gezielt der mittleren Werkphase und ihrer Poetik des »sachlichen Sagens« angenähert wurde.

(3) Schließlich hat Rilke den ursprünglichen Schluss gestrichen. In der ersten Fassung lautete er: »Ein riesiger Kürassier (er ist später bei St. Gotthardt gefallen) trug die Gräfin aus dem brennenden Schloß. Wie durch ein Wunder gelang die Flucht. Aber man weiß ihren Namen nicht und nicht den Namen des Sohns, den sie bald in anderen friedsamen Landen gebar« (die zweite Fassung weicht nur unwesentlich davon ab).

Diese Veränderung ist nur konsequent: Wer den Tod als Fest gestalten will, kann dessen Feier nicht in das aufgesetzt-versöhnliche Happy End einer Geburt münden lassen.

Historischer Hintergrund, Quellen und Anregungen

Den historischen Hintergrund des *Cornet* bildet der erste Türkenkrieg von 1663/64: 1663 war ein großes türkisches Heer in Ungarn eingedrungen. Zu seiner Abwehr sammelte Kaiser Leopold I. (1658-1705) ein Heer mit Hilfstruppen aus den unterschiedlichsten Ländern und Fürstentümern; auch der französische König Ludwig XIV. schickte 6000 Mann. Der erste Teil des *Cornet* handelt von diesem Aufmarsch, in dem die unterschiedlichen Truppenkontingente nach Ungarn zogen. Dort wurden die Türken schließlich am 1. August 1664 unter dem Oberbefehl des kaiserlichen Generals Montecuccoli in der blutigen Schlacht bei Mogersdorf und St. Gotthard an der Raab besiegt.

Man hat auf mögliche Quellen verwiesen, durch die sich Rilke über das historische Geschehen hätte informieren können, vor allem auf: Johann von Stauffenberg, *Gründliche warhafftige und unpartheyische Relation des blutigen Treffens ‹. . .› gehalten den 1. Augusti An: 1664 bey S. Gotthard in Ungern. ‹. . .›*, Regensburg 1665, und: Georg Joseph Rosenkranz, *Graf Johann von Sporck, k. k. General der Kavallerie. Eine Biographie*, Paderborn ²1854. Ein genaueres Quellenstudium scheint jedoch höchst unwahrscheinlich; als ehemaliger Militärschulzögling hat Rilke sicher genügend Kenntnisse besessen, um die Aktennotiz aus seinen Familienpapieren zu einer (an detaillierten historischen Bezügen kaum interessierten) Lebensgeschichte zu erweitern.

Anregungen mag auch die zeitgenössische Literatur

gegeben haben, etwa die Novelle *Der Portepeefähnrich Schadlius* des vom jungen Rilke sehr geschätzten Detlev von Liliencron (1896 in 2. Auflage erschienen). Allerdings ist auch hier zu bedenken, dass die Handlung des *Cornet* weitgehend auf ohnehin topischen Motiven basiert.

Schließlich hat Rilke selbst in die Handschrift der Erstfassung die Radierung eines unbekannten Künstlers aus dem 17. Jahrhundert eingeklebt, auf der eine Gruppe von Reitern, wohl Soldaten, einen Hügel herab von rechts nach links reitet. Wir wissen freilich nicht, ob dieses Bild zu den (vielfältigen) Anlässen für die Niederschrift gehörte oder einen späteren Fund darstellt.

Die weiße Fürstin

Die erste Fassung des Dramas entstand wahrscheinlich gegen Ende 1898; sie erschien im Juli 1900 im ›Pan‹ (einer der Prachtzeitschriften des Jugendstils, die in ihrer Verbindung von Bild und Text, durchgestalteter Typographie und reicher Ornamentierung das Epochenideal des Gesamtkunstwerkes verwirklichten).

Die (hier abgedruckte) Zweitfassung schrieb Rilke im November 1904 während eines längeren Aufenthaltes in Schweden; sie erschien 1909 im Insel-Verlag zusammen mit der Zweitfassung der Lyriksammlung *Mir zur Feier*, unter dem Titel *Die frühen Gedichte*.

Liebe und Tod

Das erste Rätsel, das die *Weiße Fürstin* ihren Lesern aufgibt, ist offensichtlich: Wie läßt sich verstehen, dass die das ganze Stück beherrschende Erwartung einer äußersten und intensivsten Liebeserfüllung am Ende des Dramas so jäh zusammenbricht? Und warum rückt, komplementär dazu, mit dem Auftritt der Mönche und dem unterlassenen Winken das zunächst an der Peripherie der Handlung angesiedelte Gegenthema des Todes nun plötzlich ins Zentrum des Geschehens?

Oberflächlich betrachtet mögen Liebe und Tod als absolute Gegensätze erscheinen, und doch ist die Logik ihrer Verbindung unserem kulturellen Gedächtnis in vielfachen Bildern und Erzählungen eingeprägt. Am bekanntesten sind wohl die, die von romantischer Liebe handeln, einer Liebe also, die mehr sein soll als ein zufälliges Feuerwerk der Gefühle, das, kaum entzündet, sogleich wieder verglüht. In radikaler Säkularisierung spiritueller Liebeskonzepte aus Mystik und Platonismus hat die romantische Liebe das Absolute, die Erfahrung von Notwendigkeit, Einheit und Vereinigung schlechthin, zwei sterblichen und endlichen Menschen zum Geschenk, aber auch zur kaum lösbaren Aufgabe gemacht. Im Leben mögen wir an der schweren Hypothek dieses Erbes immer noch laborieren, in der Kunst und der Literatur, im Bilderreich romantischer Mythen, gibt es jedoch für die Verwirklichung absoluter Liebe eine einfache, wenn auch paradoxe Lösung: Den Liebenden bleibt es verwehrt, ihre Liebe auszuleben – damit bleibt ihnen aber auch erspart, ihre großen Gefühle im alltäglichen Miteinander bewähren und erhalten zu müssen. Die zünftige romantische Liebe erschöpft sich im Aufruhr des Herzens, der unendlichen Sehnsucht, allenfalls (aber das ist eigentlich schon ein Sonderfall) noch in dem *einen* Augenblick der Erfüllung.

Immer aber kommt es zur Trennung der Liebenden – und die endgültigste Form der Trennung ist eben der Tod. Diesen zu motivieren, sind Autoren nie verlegen gewesen: ein widriges Schicksal, Unfall oder Krankheit, aber auch Selbstmord oder Tod aus unerfüllter Sehnsucht, wenn äußere Hindernisse – die Bindung eines Partners, der Standesunterschied, die Feindschaft der Eltern – dem gemeinsamen Glück im Wege stehen. Besonders drastisch, aber auch besonders schlüssig, ist der Liebestod, der Tod *beider* Liebenden, die so auf paradoxe

Weise über die ihrer Vereinigung entgegengesetzten Hindernisse triumphieren. Denn es steht fest, dass dieser Tod keine Trennung, sondern vielmehr die endgültige Vereinigung der Liebenden bedeutet – in einem besseren Jenseits oder doch wenigstens im Gedächtnis der Nachwelt, die ihrer beider Namen für immer zur Ikone eines Liebespaars vereinigt.

Eine zweite, dunklere Variante für die Verbindung von Liebe und Tod scheint ganz und gar unromantisch zu sein, ist in Wirklichkeit aber doch nur die an den Tag gebrachte Nachtseite romantischer Entgrenzungsphantasien: der Tod *in* der Liebe, in der körperlichen Liebe, im Sexualakt selbst, oder in der Raserei eines unaufhaltsam in den Untergang führenden amour fou. Es ist wohl kein Zufall, dass es für diesen Liebestod weder große Bilder, noch bekannte Geschichten gibt. Er führt ein verborgeneres Dasein, in der Metapher vom »petite mort«, in der Angst des Managers vor dem Herzinfarkt bei höchst unpassender Gelegenheit, in den trivialeren Mythen der Filme und Bücher der Unterhaltungsindustrie.

Wenn hier auch die großen Bilder fehlen mögen, so hat doch ein wortmächtiger Theoretiker für diesen Liebes-Tod ein machtvolles und großes Wort gefunden: »Dionysisch« – so nennen Friedrich Nietzsche und seine zahllosen Epigonen das Erlöschen der Individualität im Zustand rauschhafter Ekstase. In einer Aufzeichnung aus den Achtzigerjahren erläutert Nietzsche:

»Mit dem Wort ›dionysisch‹ ist ausgedrückt: ein Drang zur Einheit, zum Hinausgreifen über Person, Alltag, Gesellschaft, Realität, über den Abgrund des Vergehens: das leidenschaftlich-schmerzliche Überschwellen in dunklere, schwebendere Zustände; ein verzücktes Ja-sagen zum Gesamt-Charakter des Lebens, als dem in allem Wechsel Gleichen, Gleich-Mächtigen, Gleich-Seligen; die große pantheistische Mitfreudigkeit und Mitleidigkeit, welche auch die furchtbarsten und fragwürdigsten Eigenschaften des Lebens gutheißt und heiligt«.

Was Nietzsches rhetorisches Pathos noch diskret im Allgemeinen beläßt, wird etwa Georges Bataille direkt benennen: »Bei der Erotik der Körper findet eine Vergewaltigung des individuellen Wesens der Partner statt. [...] Das erotische Spiel setzt die Auflösung [...] des in sich geschlossenen Wesens voraus, die Verschmelzung [...], die dem Spiel der Wellen gleicht, die sich durchdringen und ineinander verlieren«.

Die Darstellungen des romantischen und des dionysischen Liebes-Todes füllen nur zwei der Säle in einer Galerie endloser Bilder- und Geschichtenfluchten. In diesem Musée imaginaire der Liebe geht es nicht anders zu wie im wirklichen Museum: Wir gruppieren die Fülle der Bilder, ordnen sie in Reihen und Räumen – und entdecken dann beim Flanieren doch immer wieder neue und andere Bezüge. Und immer wieder sehen wir verblüfft, wie sich in einem Bild kaleidoskopartig Elemente aus verschiedensten Traditionen zu einem neuen Ganzen vereinen.

So auch in Rilkes *Weißer Fürstin*. Die Ehe mit dem ungeliebten Mann, der von Jugend an schicksalhaft vorbestimmte Geliebte, die unendliche Sehnsucht des endlosen Wartens, der erhoffte Moment endgültiger und absoluter Erfüllung und deren letztendliche Verwehrung – all das ist uns aus den Geschichten romantischer Liebe wohlvertraut. Aber auch das Gegenthema des Dionysischen ist unübersehbar präsent: Die nie zur Frau gewordene Fürstin und ihre jüngere Schwester Monna Lara – das Mädchen im Erwachen ihrer Geschlechtlichkeit – empfinden beide ein ganz und gar physisches Begehren, zugleich verlockend und von unheimlicher Fremdheit. Und Fremdheit ist in der Tat das Schlüsselwort, das Liebe, Leidenschaft und Tod verbindet: Wer die Welt des Tagesbewusstseins mit seinen vertrauten Formen, seinen festen Begriffen und starren Konventionen, also all das, was wir kennen und benennen können, verlässt, ist in einer Fremde angekommen, die Rilke und seine Zeitgenossen das »Leben« nennen. Ihr Lieblingsbild dafür ist das Meer – als Inbegriff von Bewegung und Veränderung ohne Halt und feste Form, von reiner, entgrenzender und grenzenloser Kraft. Jenseits der vertrauten Welt sind aber auch unsere vertrauten Bewertungen sinnlos geworden. Unsere gewohnte Rubrizierung der Ereignisse nach Freude und Leid, Lust und Schmerz, Erfüllung und Vernichtung ist hier ohne Bedeutung.

Liebe und Tod verbinden sich auch in Rilkes *Weißer Fürstin* nach dem Überschreiten einer Grenze, jenseits derer alle anthropomorphen Bewertungen sinnlos sind. Soweit verbleibt das Stück innerhalb der Vorgaben des dionysischen Themas. Seine Besonderheit liegt darin, dass es den Abstand der Pole ins Extreme vergrößert – und damit ihre Vermittlung aufs äußerste erschwert. Schon von der Handlung her sind Liebe und Tod nicht als komplementäre, sondern als alternative Motive ausgewiesen. Vor allem aber hat Rilke in der zweiten Fassung des Dramas der Todesdarstellung auch noch die letzte Spur von Romantik ausgetrieben. Diesen entromantisierten Tod kennt er erst seit seiner Begegnung mit dem trostlosen Sterben in der Großstadt, seit seinen Pariserfahrungen also, die im dritten Teil des *Stunden-Buchs* und im *Malte* zum Thema werden. Im weniger drastisch umgearbeiteten *Cornet* dagegen bleibt der Tod »ein Fest«, »eine lachende Wasserkunst«.

Spiegelungen

Das zweite, noch weit größere Rätsel der *Weißen Fürstin* liegt im seltsamen Versagen der Titelheldin. Das ganze Stück hindurch hat die Fürstin ihrer jüngeren Schwester das Leben erklärt – und zwar auf eine Weise, die sie durchaus und durchgängig als Sprachrohr des Autors erscheinen läßt. Von Anfang an weiß sie, was Monna Lara erst mühsam lernen muß: Daß das Leben »tief«, »fremd« und voller »Schrecken« ist – und dennoch bejaht werden muß. Und trotzdem befällt sie ein »entsetzlicher Bann«, als der Anblick der schwarzgekleideten Mönche ihr den Schrecken des Pesttodes jäh zu Bewußtsein bringt (seine Schilderung durch den Boten hatte sie ja weitgehend überhört, so dass ihr das halbbewußt Wahrgenommene jetzt erst wirklich deutlich wird).

Wiederum verbirgt sich hier ein Erkenntnisfortschritt des Autors: Die *Weiße Fürstin* zeigt, dass auch das umfassendste Wissen und die besten Lebensmaxime letztlich ohnmächtig bleiben. Nur im Blick von außen, im Blick des nicht unmittelbar betroffenen Betrachters, also im ästhetisch distanzierten Blick eines »Schauenden«, »der uns zusammenfaßt in seinem Schauen«, können die Polaritäten des Lebens zum *einen* Bild werden.

Ein solcher »Schauender« ist im Stück Monna Lara, die am Schicksal der Fürstin von außen sehen kann, was sie in ihrem eigenen Inneren zu erfahren beginnt, und die eben deshalb zu dem Winken findet, das jene unterlässt. Freilich ist es ein anderes Winken als das von der Fürstin geplante, eines das zustimmend und einverständig Abschied nehmen kann, da es, wie es in den *Sonetten an Orpheus* heißen wird, »allem Abschied voran« ist.

Die schauende Monna Lara ist jedoch nur der Stellvertreter des eigentlichen Schauenden – des Zuschauers vor der Bühne. In seinen *Marginalien zu Nietzsches ›Geburt der Tragödie‹* hat Rilke diesen Rezeptionsprozess so beschrieben:

»Da es nicht möglich ist vor eine Gruppe von Menschen eine Wirklichkeit zu stellen, welche jeder Einzelne in *derselben* Weise erfaßt, so *muß zwischen Publikum und Szene ein Auge eingeschoben werden*, für dessen ruhigen Blick die Handlung in jedem Moment richtig und wahrhaft ist. Und das Publikum muß an diesem Auge seine Auffassung korrigieren und mit seiner Hülfe *ein* großer Körper werden, der sich *einheitlich* zu den Vorgängen der Bühne stellt.«

Monna Lara ist ein solches Auge, dessen Sehweise und Bewertung des Geschehens sich auf den Zuschauer übertragen soll.

Der Kunst also und ihrer – mit Nietzsche zu sprechen: – »apollinischen« Gestaltungsleistung bleibt es vorbehalten, das dionysische Leben erträglich zu machen. Wie Rilke in seinen *Marginalien* notiert: »Da wir ‹...› nicht imstande sind, unangewandte Kraft ‹...› zu ertragen, so ‹...› stellen ‹wir› ‹...› immer neue vergleichende Dinge an ihren Weg«.

Ein lyrisches Drama

In der dramatischen Form hat Rilke sich nur in seiner Jugend versucht, zunächst noch als Naturalist, dann als Symbolist. Die *Weiße Fürstin* ist ein symbolistisches, ein lyrisches Drama. Der belgische Dichter Maurice Maeterlinck (1862-1949) hatte diese besondere Dramenform um die Jahrhundertwende in ganz Europa populär werden lassen; im deutschsprachigen Raum hat vor allem der junge Hofmannsthal zahlreiche berühmt gewordene lyrische Dramen geschrieben, etwa *Gestern*, *Der Tod des Tizian* oder *Der Tor und der Tod*.

Im Symbolismus, der in den 70er Jahren des 19. Jahrhunderts in Frankreich entsteht und sich um die Jahrhundertwende in ganz Europa verbreitet, wird jede Mimesis von Natur oder menschlicher Lebenswelt und jede Verwendung der verbrauchten Alltagsworte kategorisch abgelehnt. Statt durch direktes Benennen versuchten die Symbolisten ›Seelenzustände‹ (états d'âme) nuancenreich zu evozieren. Dazu verwendeten sie gehäufte, die Sachebene überwuchernde und infiltrierende kühne Metaphern, die Symbolwirkung von stark verfremdeten Landschaften und Innenräumen, aber auch ureigene Mittel der Sprache wie Klang, Rhythmus, Konnotation und Schriftbild.

In der Lyrik bedurfte es dazu nur des Mutes, sich radikal auf die poetischen Ausdrucksmittel zu verlassen, deren Verdichtung diese Gattung ja seit jeher von anderen Literaturarten unterscheidet. Im Drama dagegen mussten die Symbolisten gegen die Grundstrukturen des Genres anarbeiten: seine manifeste Bindung an die Erscheinungswelt durch Bühnenraum und Schauspieler, seine in äußere Handlung umgesetzte Konfliktstruktur, seine dialogische und damit auf das Verständnis eines Du ausgerichtete Sprache.

Wie auch diese widerspenstige Literaturform lyrisiert, zum symbolischen Ausdruck eines inneren Geschehens gemacht werden konnte, hatte Maeterlinck nicht nur praktisch demonstriert, sondern auch in zahlreichen dramentheoretischen Schriften ausführlich erläutert: Nicht mehr äußere Handlungen darf das Drama darstellen, sondern nur das innere Leben, »la vie intérieure«. Jede Form von Realismus ist zu vermeiden; die Handlung – meist nur eine spannungsvolle Grundsituation – wird weder psychologisch motiviert noch raum-zeitlich verortet. Die Sprache dient nicht der Kommunikation oder der Informationsvermittlung, sondern der Suggestion. Was daher eigentlich zählt, ist nicht das Ausgesprochene, sondern der »dialogue du second degré«, der »Dialog zweiten Grades«: das, was hinter den Worten erahnbar oder durch Bilder, Mimik und Gesten ausgedrückt wird.

Ganz offensichtlich entspricht Rilkes *Weiße Fürstin* dieser Dramenpoetik. Als dramatisches Personal treten nur zwei periphere Nebenfiguren (Amadeo und der Bote) und die beiden Frauen auf, die in ihrer Spiegelrelation wiederum nur Varianten einer Figur, einer menschlichen Grundkonstellation darstellen. Ebenso reduziert ist die äußere Handlung; im Mittelpunkt steht das innere Leben eines intensiven Gefühls, einer großen Erwartung, in der sich die extremen Widersprüche von höchster Lust und höchster Angst verbinden. Die lyrische Sprache – das Drama ist, bis auf eine kleine Prosapassage, im (meist jambischen) vers libre geschrieben –, die vielfältige Bildlichkeit, die symbolische Verdichtung aller Details des Bühnengeschehens, die zahlreichen Sprechpausen und Gesten sind suggestive Stilmittel eines »dialogue du second degré«, den Rilke am radikalsten im ganz und gar sprachlosen Dramenschluß verwirklicht hat, einem großen Tableau aus suggestiven Gesten und Lichteffekten.

Eine Übersetzung dieser rein bildlichen Evokation in begriffliche Sprache hat der Autor konsequent verweigert. Als ihn die befreundete schwedische Schriftstellerin Ellen Key brieflich um eine Erläuterung zum Auftritt des Mönches bat, antwortete Rilke ihr:

»ich habe nichts Bestimmtes mit ihm gemeint, – ich wollte nur einen schwarzen Mönch machen, in der Landschaft, vor dem Meer; ich glaube, dass diejenigen Gestalten am besten sind, die absichtslos, einfach als Gestalt dem Schaffenden entstehen. Die Auslegung ist immer beim Leser und muss frei und durch keinen vorweggenommenen Namen begrenzt sein [. . .]. Ich kann nicht *mehr* sagen; ich fühlte, dass ich eine Gestalt haben musste für Unsagbares, – denn die Bühne braucht die Gestalt, wo sonst vielleicht Worte, Verse, Pausen sein dürften –: die Gestalt kam und war der schwarze Mönch, weil ich einmal vor Jahren in Viareggio durch das Erscheinen eines bettelnden schwarzen Mönches tief berührt worden war. Ich stand am Fenster und da er, mit dem Rücken gegen das Meer, in den Garten trat, befiel mich eine seltsame Angst; Mir war, dass ich mich nicht rühren dürfte, weil er, der mich bemerkt hatte, jede Bewegung als Wink, als Ruf deuten und kommen würde« (2. 4. 1904).

Unterschiede zur Erstfassung: Das nicht mehr schöne Leben

Rilke hat die *Weiße Fürstin* so radikal umgearbeitet wie keinen anderen seiner Texte – es ist kaum übertrieben, wenn er die Zweitfassung als ein »neues Drama« bezeichnet (An Andreas-Salomé, 7. 1. 1905). Den geringsten Eingriff stellen dabei noch die zahlreichen Stilkorrekturen dar, die auf Zurückdrängung des allzu Übersteigerten und Pretiösen und auf sachbezogene Konkretisierung zielen. Viel wichtiger sind die zahlreichen Erweiterungen: Die Zweitfassung wurde knapp um die Hälfte verlängert; alle für ihr Verständnis zentralen Passagen – das Traumgespräch, die Passage zum Schauenden, die Spiegelszene – fehlen in der Erstfassung.

In nuce lassen sich die Fassungsunterschiede schon am Vergleich der einleitenden Bühnenbeschreibungen und der szenischen Anweisungen für den Schluß aufzeigen: Die erste Fassung spielt in der »Frührenaissance« des Quattrocento (also im 15. Jahrhundert), die zweite »gegen Ende des 16. Jahrhunderts« (also am Ende der Renaissance); in der ersten steht im Schloßpark »eine alte verfallene Herme«, Inbegriff der Décadence, in der zweiten »die Bildsäule einer vielbrüstigen Göttin« als Symbol des konventionelle Schönheitsformen sprengenden dionysischen Lebens.

Noch radikaler ist die Veränderung des Schlusses: In der Erstfassung fehlt das Winken Monna Laras – deren Rolle erst in der Zweitfassung zur gleichgewichtigen Komplementärfigur erweitert wird –, vor allem aber ist das Nicht-Winken der Fürstin noch ganz anders motiviert, da ihre Entschluss- und Kraftlosigkeit hier dem Erscheinen des Fraters *voraus*geht. Die Erstfassung entspricht so noch ganz den Ideen des *Florenzer Tagebuchs*: Der Fürstin als Repräsentantin der »müden« Frührenaissance fehlt die »Sommerkraft«, um den Schritt zu intensiver Lebenserfüllung zu wagen.

Die differenziertere Motivierung des Schlusses und die neue, auf dem Zusammenspiel von Dionysischem und Apollinischem basierende Ästhetik der Zweitfassung haben ihre Ursache in einer grundlegenden Veränderung von Rilkes Weltbild: In der schockhaften Begegnung mit den Schrecken des modernen Lebens in Paris – wohin Rilke 1902 gereist war, um eine Monographie über den Bildhauer Auguste Rodin zu verfassen – zerbrach der naive Monismus, der das Frühwerk geprägt hatte. In der *Weißen Fürstin* lässt sich dieser Schock an der völlig veränderten Schilderung des Pesttodes ablesen: Der Tod der Erstfassung »geht von Stadt zu Stadt| und bricht wie Brot,| wen er bedroht, –| entzwei«. In der Zweitfassung wird diese knappe Metapher durch eine umfassende Beschreibung von Angst und Leid ersetzt, deren Drastik an entsprechende Passagen im *Malte* erinnert. In der Erstfassung kam der »fremde Tod« noch »weit aus dem Osten« – was einfach auf die geographische Herkunft der Pest aus Asien verwies; in der Zweitfassung wird er dagegen als »fremder Tod« »aus irgendeiner grundverhurten Stadt« bezeichnet, kommt also direkt aus der modernen Zivilisation. Die damit gestellte neue Aufgabe, auch das nicht mehr ›schöne‹ Leben zu bejahen, lässt sich nur mit Hilfe der neuen poetischen Verfahrensweisen des mittleren Werkes lösen; ihm ist die Zweitfassung so weit angepaßt, wie das bei Wahrung von Stoff und wesentlichen Motiven möglich war.

Anregungen: Ein Erlebnis in Italien und Böcklins ›Villa am Meer‹

Ein Kunstwerk hat viele Urheber und Ursprünge. So sind auch in die *Weiße Fürstin* zahlreiche Anregungen eingeflossen: Die Philosophie Nietzsches, die Renaissance-Mode der Jahrhundertwende – wie sie sich etwa in Jacob Burckhardts berühmter *Kultur der Renaissance in Italien* (1860) und in der nicht weniger bekannten Aufsatzsammlung des englischen Kunsttheoretikers Walter Pater *The Renaissance. Studies in art and poetry* (1873) ausdrückte –, zahlreiche motivverwandte Dramen der Zeit – wie etwa Ibsens *Die Frau vom Meere* (1888) und Hofmannsthals *Die Frau im Fenster* (1898) – oder das dramatische und theoretische Werk Maurice Maeterlincks, usw., usw. Zwei solcher Anregungen sollen im Folgenden dokumentiert werden.

Keimzelle für die *Weiße Fürstin* ist ein Erlebnis, das Rilke in Viareggio hatte und am 22.5.1898 in seinem *Florenzer Tagebuch* aufzeichnete:

»Gestern vormittag geschah noch eines, welches zu verzeichnen mir gut scheint. Ich schrieb, wie ich an jedem Morgen tue, auf meinem breiten Marmorbalkon sitzend, in dieses Buch. Der Garten vor mir war einer scheuen und ängstlichen Sonne voll, und darüber hinaus über Düne und Meer waren erwartungsvolle Schatten eines breiten Gewölkes. Durch ein Kiesknirschen aufmerksam geworden, blick ich hinab und gewahre in der Mittelallee des Gartens einen Bruder von der Schwarzen Bruderschaft des Letzten Erbarmens in seinem schwarzen, glatten Faltenkleid und der schwarzen Gesichtsmaske, welche nur kleine Augenlöcher gestattet. Wie er so harrend mitten im Garten stand, in dem hellen roten Garten, drin Aurikel und Mohn und kleine rote Rosen in vollem Frühling stehen, war er wie der Schatten irgendeines zweiten, der riesig und unsichtbar sich neben ihm auftürmen mußte. Oder er war wie der Tod selbst, aber nicht der, welcher einen Ahnungslosen in Lebensmitten erfaßt, wie der freiwillig herbeigerufene, demütige Diener, der, auf eine bestimmte Stunde bestellt, Wort hält, gelassen eintritt und wartet: Sie haben befohlen. Und einen Augenblick harrte ich, verhehlten Atems, ob nicht wirklich irgendwer von der Terrasse treten, irgendein blondes Mädchen oder ein stiller harter Mann, und tief in Gedanken hinter dem Schwarzen her aus dem Garten schreiten wird. Einfach aus dem Garten – aus dem Garten . . .

Es war bei alldem keine Angst in mir und keine von

den Empfindungen, welche in den Tagen alten Aberglaubens mich besiegt hätten. Das Leben in seiner friedlichen Festlichkeit schien mir in dieser Stunde wie ein weiter Rahmen, in welchem alles Raum hat, und das Ende verlor seine Furcht, weil nahe neben ihm der Beginn stand und der Ausgleich der beiden wie in leiser und lächelnder Verabredung und nichts anders wie ein wiegendes Wellenschlagen geschah. Eine mächtige Versöhnung empfand ich durch dieses Gefühl, ich war wie auf die Stirne geküßt von einem reichen und heiligen Lebenstrost, dessen Segen ich nie mehr verlieren konnte.

Allein, grade weil ich so über dem Fürchten mich fand in diesem Augenblick, begriff ich die Wirkung gewisser seltsamer Fügungen. Der Frate, welcher für seinen demütigen Zweck sammeln gekommen war, wurde nicht bemerkt und klirrte mit dem Münzkasten, welches fremd und wie eine Kette klang. Nach vergeblichem Warten kehrte er um und schritt zögernd zum Gartentore hin; da schien irgendwer unten aus der Vorhalle zu treten, so daß er sich wieder etwas eiliger zum Hause herwandte. Er erhielt von einem Knaben eine Spende und verneigte sich erstaunlich tief vor dem Kinde, welches ihn mit neugierigem Blicken betrachtete. Dann ging er, immer noch zögernd, und stand mitten in der Allee still. Mein Bild von früher wurde wieder wach. Ich fühlte unten auf den Treppen ein weißes junges Mädchen stehen, das vor diesem Sommerglanz zögerte und nicht Abschied nehmen konnte von der hellen Herrlichkeit. Und endlich schickte sie bang dem ernsten, verhüllten Diener, den sie selber herbefahl, durch den Knaben ihr kleines Herz; das soll sagen: ›Ich habe mich geirrt, nimm das, und geh voraus.

Ich kann noch nicht. Ich bin wirklich müd, wirklich. Lieben kann ich nicht mehr, nimm es. Aber laß mich noch schauen.‹ Und ich fühle gleichsam, wie zwei große traurige Augen Fragen hineinschatten in den lichten Tag: ›Nur noch schauen...‹ Und da geht er, geht ungern und ungläubig. Kommt sie nicht doch? Und er steht nochmals am Gitter, wo die frische Platane glänzt. Das Mädchen aber bleibt unten an eine Säule gelehnt und schaut über den Boten weg auf das grüne, ferne, reglose Meer: ›Nur noch schauen.‹ Bei ihr hockt der Knabe, welcher das Herz trug, und weint...

Dann verlor ich die Vision; aber ich dachte: er zögerte wirklich so lang. Wenn ich da oben auf meinem weit sichtbaren Balkon, vertieft, irgendeine unwillkürliche Bewegung gemacht hätte, er hätte sie gewiß für einen Ruf angesehen und wäre wiedergekommen; und ich weiß: ich hätte in überraschter Scham nicht verneint und ihm rasch etwas gegeben, um ihn los zu werden. Und er hätte dann nochmals an der Tür gezögert, und (in einem großen Haus am Meer tritt jeden Augenblick jemand ans Fenster) es hätte irgendwo einer eine ähnliche Geste getan, und er wäre nun auch zu dem gekommen: wir beide hätten uns gewiß beim nächsten Wiedersehen gemieden und nur von ferne angesehen. Und wenn wir beide Menschen wären, die viele Brücken haben zwischen sich, so hätte dieses hartnäckige Wiederkehren des Schwarzen gewiß auf uns gelegen wie eine Gefahr und wie eine arge Ahnung. Und ich dachte einer Situation, die, durch solchen Zufall beschwor‹en›, schwer und einem Schicksal verwandt werden könnte.

Als ich dann nachmittags in den Garten trat, dachte

ich dieser Erscheinung nicht mehr. Aber vorn an der Halle saß der eine unserer beiden Dachshunde und ließ sich durch meine Schmeicheleien gar nicht berühren wie sonst. Er schien in irgendeine tiefe Betrachtung versunken und sah doch nur in die Wand des Hauses hinein, die glatt und kahl und ohne irgendwelchen Halt war. Seine Augen zielten auch gar nicht dahin, es waren die blinden Blicke eines ernst Sinnenden, und auf dem ganzen Gesicht des Tieres lag ein so steinerner Ernst, eine finstere Ergebenheit, die sich auch in der ganzen Haltung des Leibes seltsam ausprägte. Ich stand still, war verwundert und sagte im Weitergehen laut zu mir: ›Ein Dackel mit der Manier einer Sphinx. Tief, rätselhaft, stumm.‹ Sagte das laut und vergaß es. – Dann gelangen mir meine Lieder, und Klanges voll kam ich im ersten Dämmer aus dem Wald. Mir kommt das Stubenmädchen irgendwo entgegen und sagt: ›O, unser Padrone ist ganz trostlos; denken Sie, Signorino, der eine männliche Dachshund, den er vierzehn Jahre besaß, Sie erinnern sich seiner wohl, ist heute – jetzt – von einem Pferd gestoßen worden, taumelte und blieb auf der Stelle tot. Poverino.‹

Und sie grüßte lächelnd und ging mir vorbei.

Darauf kommt es schließlich an: alles, eines des anderen wert, *im* Leben zu sehen; auch das Mystische, auch den Tod. Keines darf über das zweite hinausragen, ein jedes das nachbarliche bezähmen. Dann hat jedes seine Bedeutung und, was die Hauptsache ist: ihre Gesamtheit ist ein harmonisches Ganzes voll Ruhe und Sicherheit und Gleichgewicht.

Nur dann hat das Mystische sein Recht: wenn man ihm nicht andere Macht einräumt als den anderen Kräften auch. Aber für die Gerngläubigen wird es mit einem Male der heimliche Grund alles Geschehens, und die, welche sich darüber hinaus wähnen, erschüttert es durch das Gewaltsame seiner Erscheinung.

Kunst ist aber auch Gerechtigkeit. Und ihr müßt, wollt ihr Künstler sein, allen Kräften das Recht lassen, euch zu heben und hinunterzudrücken, zu fesseln und zu befreien. Das ist nur Spiel, fürchtet es nicht.

Ihr wißt, daß die Blume sich neigt, wenn der Wind es will, und ihr müßt werden wie sie: das heißt, voll eines tiefen Vertrauens.«

Dass Rilke Arnold Böcklins *Villa am Meer* wohlbekannt war, geht aus einem Brief an Wilhelm List, den Redakteur der Jugendstilzeitschrift ›Ver Sacrum‹, vom 7. Januar 1901 hervor. Dort wird das Bild im Zusammenhang mit Titeländerungen erwähnt, die Rilke für abzudruckende Werke erbittet: Die Überschrift *Die Blinde* soll durch *Winterseele*, *Der Page* durch *Vorfrühling* ersetzt werden. Rilke erläutert: »Diese Änderung geschieht deshalb, weil die Gestalten nicht groß gedacht sind, und etwa wie die Böcklin'sche Frau in der ›Villa am Meer‹ in Landschaft und Schicksal stehen«. Doch selbst ohne solch ein direktes Zeugnis wäre eine Kenntnis des Werkes zu vermuten gewesen, da Rilke Böcklin auch sonst häufig erwähnt. Er rühmt ihn vor allem als einen Maler, der auch menschliche Figuren ganz in die großen Zusammenhänge der Landschaft einbezieht oder sie ihr sogar in Fabelwesen, wie seinen Kentauren und Meerfrauen, anverwandelt.

Auch von der Titelheldin der *Weißen Fürstin* ließe sich

zutreffend sagen, sie stehe in »Landschaft und Schicksal«. Eigentlich anregend aber dürfte Böcklins Gemälde wohl für Rilkes detailgenaue Beschreibung des Bühnenbilds gewesen sein. Die Zahl der offensichtlichen Parallelen in Details wie topographischer Anordnung vergrößert sich noch, wenn man auch die Szenenanweisung vom Beginn der ersten Fassung einbezieht, die sich über weite Strecken wie eine der Szenerie liest, vor der in Böcklins eine einsame Frau steht und aufs Meer hinausblickt:

»Die Hinterbühne: ein weißes Schloß, einstöckig, im Stile der reinen Früh-Renaissance. Loggien. Vor den Loggien die Terrasse aus weißem Marmor, welche sich in breiten, weißen Stufen langsam zu dem Garten niederläßt.

Die Mittelbühne: Park. Lorbeerbäume. Tief im Hintergrund steile Cypressen. Man merkt, daß der Garten das weiße Haus umrahmt und weit dahinter Wald wird. Nach vorn zu aber geht er allmählich in buntes Buschwerk über und endet mit klüftigem, grauem Gestein. Eine Allee hellstämmiger Platanen wächst bis an diesen felsigen Rand und läßt links einer Steinbank Raum und einer alten, verfallenen Herme.

Die Vorderbühne überbrandet das Meer, welches von der Seite des Zuschauers her, gegen die Scene wogt und die Steine des Strandes mit kleinen, gleichmäßig atmenden Wellen schlägt.

Die Stirne des weißen Schlosses spiegelt die Unendlichkeit. Alle Personen der Handlung schauen das Meer.«

Das liest sich wie eine Beschreibung von Böcklins Gemälde, auf dem, vor eben diesem Hintergrund, eine einsame Frauengestalt, an einem Felsen lehnend, aufs Meer hinausblickt.

Es ist freilich schwer zu sagen, von genau welchem Bild Rilke inspiriert wurde. Denn Böcklin hat von seiner *Villa am Meer* eine Vorskizze und fünf ausgeführte Fassungen (1864-1880) gemalt, die zum Teil erheblich voneinander abweichen. Am wahrscheinlichsten ist eine Anregung durch die Zweitfassung, die Rilke zusammen mit der Erstfassung (in der unter anderem die Treppe am linken Bildrand und die antiken Figuren im Garten der Villa noch fehlen) mit Sicherheit während einer seiner Besuche in der Münchner Schack-Galerie (wohl ab 1896/97) gesehen hat. Die späteren Versionen könnte er aber natürlich über Abbildungen gekannt haben. Es läßt sich daher nicht ausschließen, dass sich in Rilkes Erinnerung verschiedene Stufen der Bildgestaltung zu einer neuen Einheit zusammengefügt haben mögen. In der vierten und fünften Fassung etwa hat Böcklin den schwarzen Umhang der im Vordergrund stehenden Frau, der in der zweiten Fassung einem Nonnenhabit gleicht, zu einem schwarzen Kopftuch und einer Mantille reduziert. So ist deutlich erkennbar, daß die Frau ein bodenlanges weißes Kleid trägt.

Manfred Engel

Zeittafel

E = Entstehung, V = Veröffentlichung, UA = Uraufführung,
Ü = Übertragung

1875 4.12.: René Josef Maria Rilke als Sohn des Eisenbahninspektors Josef und seiner Frau Sophie (Phia) Rilke (geb. Entz) in Prag geboren.
1882-1886 Deutsche Volksschule in Prag.
1884 24.5.: Rilkes erstes Gedicht. Trennung der Eltern; Erziehung durch die Mutter.
1886 1.9.: Eintritt in die Militärunterrealschule St. Pölten.
1890 Wechsel zur Militäroberrealschule in Mährisch-Weißkirchen.
1891 3.6.: Militärschule ohne Abschluß verlassen, Rückkehr nach Prag. 10.9.: »Die Schleppe«, erstes veröffentlichtes Gedicht. September (bis Mai 1893) Handelsakademie Linz.
1893 Valerie (Vally) von David-Rhonfeld. V: *Feder und Schwert*.
1894 V: *Leben und Lieder*.
1895 9.7.: Abitur in Prag. Beginn des Studiums an der Deutschen Carl-Ferdinands-Universität in Prag. E: *Im Frühfrost*. V: *Larenopfer*.
1896 V: erstes *Wegwarten*-Heft (Lieder, dem Volke geschenkt). UA: *Jetzt und in der Stunde unseres Absterbens*. Ab September Fortsetzung des Studiums in München. V: *Traumgekrönt*.
1897 28.-31.3.: 1. Venedigaufenthalt. 12.5.: Begegnung mit Lou Andreas-Salomé; Namensänderung: Rainer. UA: *Im Frühfrost*. 1.10.: Übersiedlung nach Berlin. E: *Ohne Gegenwart*. V: *Advent*.
1898 Prag, Arco, Florenz, Viareggio (*Florenzer Tagebuch*). E: *Dir zur Feier*. Ab 1.8. in Berlin-Schmargendorf (*Schmargendorfer Tagebuch*). 29.9.: »Die Braut«, erstes Gedicht für das *Buch der Bilder*. E: *Ewald Tragy*. 25.12.: 1. Besuch in Worpswede. Jahresende: E: *Die Weiße Fürstin* (Erstfassung). V: *Am Leben hin*.
1899 Reisen nach Arco, Wien und Prag. Berlin; Fortsetzung des Studiums. V: *Zwei Prager Geschichten*. 25.4.-18.6.: 1. Rußlandreise,

mit Lou Andreas-Salomé und ihrem Mann. E: erster Teil *Stunden-Buch*: »Die Gebete«; *Cornet*. V: *Mir zur Feier*.

1900 Übersetzung von Tschechows *Möwe*. 9.5.-22.8.: 2. Rußlandreise mit Lou Andreas-Salomé. V: *Die Weiße Fürstin*. 27.8.-5.10.: Gast bei Heinrich Vogeler in Worpswede; Begegnung mit Paula Becker und Clara Westhoff (Beginn *Worpsweder Tagebuch*). Ab Oktober Berlin-Schmargendorf. V: *Vom lieben Gott und Anderes*.

1901 26.2.: Abschiedsbrief von Lou Andreas-Salomé (›Letzter Zuruf‹). 28.4.: Heirat mit der Bildhauerin Clara Westhoff; Wohnsitz Westerwede. E: zweiter Teil *Stunden-Buch*. V: *Die Letzten*. 12.12.: Geburt der Tochter Ruth. UA: *Das tägliche Leben*.

1902 V: *Buch der Bilder*. E: *Worpswede*. Ab 28.8. in Paris (bis Ende Juni 1903). E: *Auguste Rodin* (V: März 1903).

1903 April in Viareggio; E: dritter Teil *Stunden-Buch*. Paris. Wiederaufnahme des Briefwechsels mit Lou Andreas-Salomé. 10.9. (bis Juni 1904) in Rom. V: *Worpswede*; *Auguste Rodin*.

1904 Beginn der Arbeit am *Malte*. Ende Juni (bis 9.12.) Schweden. V: Zweitfassung *Cornet*. E: Zweitfassung *Die Weiße Fürstin*. Winter mit der Familie in Oberneuland bei Bremen. V: *Geschichten vom lieben Gott*.

1905 Ab September Paris (bis 29.7.1906); Privatsekretär von Rodin in Meudon. 21.10.-2.11.: 1. Vortragsreise; u.a. Dresden und Prag. V: *Das Stunden-Buch*. Winter 1905/06: Beginn der kontinuierlichen Arbeit an den *Neuen Gedichten*.

1906 25. 2.-31.3.: 2. Vortragsreise; Elberfeld, Berlin, Hamburg, Bremen. 14.3.: Tod des Vaters. 10.5.: Rodin kündigt Rilke. Juli/August: Reise nach Flandern. V: *Cornet* (3. Fassung); *Buch der Bilder* (zweite, erweiterte Ausgabe). 4.12.-20.5.1907 Capri; E: Capreser Lyrik.

1907 Ab 31.5. Paris; E: 1. Teil der *Neuen Gedichte* (V: Dezember). 6.-22.10.: Venedig. Gedächtnis-Ausstellung für Paul Cézanne im Pariser Salon d'Automne; fünfzehn Briefe über Cézanne an Clara Rilke. 30.10.-18.11.: 3. Vortragsreise; Prag, Breslau, Wien. November: Aussöhnung zwischen Rodin und Rilke.

1908 Dezember 1907-18.2.: Oberneuland; danach Berlin, München, Rom, Neapel. 29. 2.-18.4.: Capri. Anfang Mai (bis Mai 1903)

Paris; E: *Der Neuen Gedichte anderer Teil* (V: November); *Requiem*-Gedichte; Arbeit am *Malte*.

1909 V: *Die frühen Gedichte* (Zweitfassung *Mir zur Feier* und *Die Weiße Fürstin*). Mai und September/Oktober: Reisen in die Provence. 10.12.: Beginn der Freundschaft mit Marie Taxis.

1910 12.1.-31.1.: Leipzig; Diktat der *Aufzeichnungen des Malte Laurids Brigge* (V: 31. 5.). Weimar, Berlin, Rom, Schloß Duino bei Triest. 12.5. wieder in Paris. August/September in Böhmen; Lautschin und Janowitz. 19.11.: Aufbruch zur Nordafrikareise.

1911 6.1.-29.3: Ägypten-Reise. Rückkehr nach Paris. Ü: Maurice de Guérin: *Der Kentauer* (V: Juli), *Sonette* der Louize Labé, anonyme französische Predigt *De l'amour de Madeleine* (V: 1912); zwölf Kapitel der *Confessiones* des Augustinus. 19.7.-25.9.: Reise nach Lautschin. 22.10. (bis 9.5.1912): Duino bei Triest.

1912 Ü: Giacomo Leopardis »L'infinito«; E: *Das Marien-Leben* (V: 1913); erste *Duineser Elegien*. 9.5.-11.9.: Venedig; Eleonora Duse. Juli: *Cornet* als Band 1 der Insel-Bücherei erschienen. 11.9.-9.10.: Duino. München. 1.11. (bis 24. 2.): Spanienreise.

1913 Ronda; E: erste »Gedichte an die Nacht«, *Erlebnis I* u. *II* (V: *I* 1918). Paris; E: Narziß-Gedichte; Ü: weitere *Sonette* Louize Labés (V: 1917); Michelangelo: *Sonette* (sporadisch bis 1923). 6.6.-17.10.: Reisen in Deutschland. 7./8.9. in München Begegnung mit Sigmund Freud. 18.10.: Paris; Arbeit an den *Elegien*; E: »Fünf Sonette«; Ü: André Gide: *Der verlorene Sohn* (V: 1914).

1914 Lektüre Marcel Proust: *Du côté de chez Swann*. Magda von Hattingberg (›Benvenuta‹). E/V: *Puppen. Zu den Wachspuppen von Lotte Pritzel*. Lektüre Lou Andreas-Salomé: *Drei Briefe an einen Knaben*. 19.7.: Abreise von Paris nach Deutschland; Kriegsausbruch; München (bis 11.6.1919). E: »Fünf Gesänge« (erschienen im November). Lulu Albert-Lasard. E: »An Hölderlin«. Kafka-Lektüre. Dezember (bis 7.1.1915) Berlin.

1915 München; 14.6.-11.10.: in Hertha Koenigs Münchner Wohnung; E: u. a. »Der Tod Moses«, »Sieben Gedichte«, »Der Tod«, »Requiem auf den Tod eines Knaben«, »Siehe: (Denn kein Baum soll dich zerstreun)«, »Die vierte Elegie«. Verlust der Pariser Habe. 24.11.: Musterung. Abbruch der dichterischen Produktion. Ab 12.12. in Wien.

1916 4.1.: Einrücken zur Grundausbildung; ab 27.1. Dienst beim Kriegsarchiv, Wien. 9.6.: Entlassung; Juli Rückkehr nach München. Zusammenstellung der 22 »Gedichte an die Nacht« für Rudolf Kassner.

1917 Fortsetzung Michelangelo-Übertragungen; Lesegutachten. 18.7.-9.12.: letzte Reise in Deutschland, u. a. in Berlin. Ab 10.12. wieder in München.

1918 Herbst: Rilke bereitet sich auf Kippenbergs Anraten auf eine Reise in die Schweiz vor, er schickt ihm, für den Fall, daß die Vollendung ihm versagt bleibt, eine Abschrift des Elegien-Bestandes, ein gleichlautendes Manuskript an Lou Andreas-Salomé. Novemberrevolution in München. Begegnung mit Claire Studer, spätere Frau Ivan Golls.

1919 Lektüre von Oswald Spenglers *Untergang des Abendlandes*; von Hans Blühers *Die Rolle der Erotik in der männlichen Gesellschaft.* Ü: weitere Sonette Michelangelos, Gedichte Mallarmés. 26.3.-2.6.: Besuch Lou Andreas-Salomés in München. Niederschlagung der Revolution; Durchsuchung von Rilkes Wohnung, wegen Kontakts u. a. mit Kurt Eisner und Ernst Toller. 11.6.: Abreise in die Schweiz; u. a. Nyon, Genf, Bern, Zürich. Baladine Klossowska (›Merline‹). Soglio (29.7.-21.9.), Locarno (7.12.-Ende Februar 1920). 25.10.-30.11.: Lesereise (Zürich, St. Gallen, Luzern, Basel, Bern und Winterthur).

1920 3.3.-17.5.: Schönenberg bei Pratteln; Ü: Michelangelo. 11.6.-13.7.: Venedig. Schönenberg. Lektüre Dostojewski-Biographie. 9.10.: erster Besuch in Sierre. 23.-30.10.: Paris. Ab 12.11. (bis 10.5.1921) Berg am Irchel; E: erster Teil *Aus dem Nachlaß des Grafen C. W.*; *Préface à Mitsou* für die Bildergeschichte von Baltusz Klossowski (V: 1921).

1921 E: zweiter Teil *Aus dem Nachlaß des Grafen C. W.*; erste Valéry-Übertragung (*Le Cimetière marin*). E: *Das Testament*; Protokoll und Bilanz des erneuten Scheiterns in der Arbeit. Ab 26.7. Wohnsitz Schloßturm Muzot oberhalb Sierre. 17.10.: mit dem Abtragen von Briefschulden Vorbereitung auf eine neue Arbeitsphase. Dezember: erste Überlegungen für eine Gesamtausgabe von Rilkes Werken.

1922 1.1.: Gertrud Ouckama Knoops Bericht über Krankheit und

Tod ihrer Tochter Wera. 11.-26.1.: Abschrift von Valérys Dialog *L'Âme et la Danse*. 2.-5.2.: Niederschrift 1. Teil der *Sonette an Orpheus*; 7.-14.2.: Abschluß der *Duineser Elegien*. E: *Der Brief des jungen Arbeiters*; 15.-23.2.: 2. Teil der *Sonette an Orpheus*. März: Garten in Muzot mit Rosen angelegt. 20.3.-11.4.: Ü: Valéry, *Ébauche d'un Serpent* (Entwurf einer Schlange). Juli: Absprache der Werke in sechs Bänden. Arbeitswinter 1922/23, Ü: Gedichte Valérys (V: 1925).

1923 Erscheinen der *Duineser Elegien*. Juni/Juli: Bad Ragaz; August Sanatorium Schöneck am Vierwaldstätter See. 6. und 8.11.: »Zueignung an M‹erline› (Schaukel des Herzens)«, geschrieben »als Arbeits-Anfang eines neuen Winters auf Muzot«. E: »Sieben Entwürfe aus dem Wallis oder Das kleine Weinjahr«. Ende Dezember bis 20.1. 1924: Klinikaufenthalt in Val-Mont, oberhalb Montreux.

1924 E: »Der Magier« und Gedichte im Stil ›berechenbarer Magie‹ (u. a. »Die Frucht«, »Eros«, »Vergänglichkeit«); zum »Magier« und »Füllhorn« französische Pendants; reiche Produktion französischsprachiger Lyrik, *Vergers*. 6.4.: Paul Valéry auf Muzot. E: *Briefwechsel in Gedichten mit Erika Mitterer* (bis August 1926). Juni/Juli: Bad Ragaz; E: »Im Kirchhof zu Ragaz Niedergeschriebenes«; ab 2.8. Muzot: *Les Quatrains Valaisans* (bis Anfang September). 24.11.: erneuter Klinikaufenthalt in Val-Mont (bis 7.1.1925).

1925 7.1.-18.8.: letzter Paris-Aufenthalt. Gedichte in französischer Sprache; *Vergers* abgeschlossen (V: mit den *Quatrains Valaisans*, 1926). Mitte Oktober Rückkehr nach Muzot. 27.10.: Niederschrift des Testaments; »Rose, oh reiner Widerspruch« als Epitaph bestimmt. Dezember bis Juni 1926: Klinik Val-Mont.

1926 3.5.-6.9.: Briefwechsel mit Marina Zwetajewa; 8.6.: die ihr gewidmete Elegie. Juli/August: Bad Ragaz. Ab 21.9. Muzot: Ü: Valérys *Eupalinos*. 30.11.: wieder Val-Mont; Diagnose: Leukämie. Mitte Dezember: »Komm du, du letzter, den ich anerkenne, heilloser Schmerz«. Tod am 29. Dezember.

1927 Beisetzung am 2. Januar an der Bergkirche von Raron. Es erscheinen: *Les Roses*; Paul Valéry, *Eupalinos oder Über die Architektur*; *Les Fenêtres*; Gesammelte Werke in sechs Bänden.

Inhalt

Die Weise von Liebe und Tod
des Cornets Christoph Rilke

7

Die weiße Fürstin

37

Nachwort

69

Zeittafel

111

Rainer Maria Rilke

In gleicher Ausstattung liegen vor:

Das Stunden-Buch
Mit einem Nachwort von Manfred Engel
it 2685 · 160 Seiten

Das Buch der Bilder
Mit einem Nachwort von Manfred Engel
it 2686 · 144 Seiten

Neue Gedichte · Der Neuen Gedichte anderer Teil
Mit einem Nachwort von Ulrich Fülleborn
it 2687 · 208 Seiten

Duineser Elegien · Die Sonette an Orpheus
Mit Nachworten von Manfred Engel und Ulrich Fülleborn
it 2688 · 192 Seiten

Mir zur Feier
Gedichte · Mit einem Nachwort von Manfred Engel
it 2689. 160 Seiten

Die Weise von Liebe und Tod des Cornets Christoph Rilke · Die weiße Fürstin
Mit einem Nachwort von Manfred Engel
it 2690 · 128 Seiten

Die Aufzeichnungen des Malte Laurids Brigge
Mit einem Nachwort von August Stahl
it 2691 · 288 Seiten

Einsam in der Fremde
Erzählungen · Mit einem Nachwort von August Stahl
it 2692 · 128 Seiten

Die Ausgaben basieren auf der Ausgabe:

*Werke · Kommentierte Ausgabe
in vier Bänden*
Herausgegeben von Manfred Engel,
Ulrich Fülleborn, Horst Nalewski und August Stahl
Insel Verlag 1996

Band 1 · *Gedichte 1895 bis 1910*
Herausgegeben von Manfred Engel und Ulrich Fülleborn
1036 Seiten

Band 2 · *Gedichte 1910 bis 1926*
Herausgegeben von Manfred Engel und Ulrich Fülleborn
972 Seiten

Band 3 · *Prosa und Dramen*
Herausgegeben von August Stahl · 1088 Seiten

Band 4 · *Schriften*
Herausgegeben von Horst Nalewski · 1104 Seiten